MANUAL PARA UN NUEVO PERIODISMO

RAYMUNDO RIVA PALACIO

Manual para un nuevo periodismo

Desafíos del oficio en la era digital

Grijalbo

Manual para un nuevo periodismo
Desafíos del oficio en la era digital

Primera edición en Plaza y Janés: 2005
Primera edición en Grijalbo: noviembre, 2013

D. R. © 2013, Raymundo Riva Palacio Neri

D. R. © 2013, derechos de edición mundiales en lengua castellana:
Random House Mondadori, S. A. de C. V.
Av. Homero núm. 544, colonia Chapultepec Morales,
Delegación Miguel Hidalgo, C.P. 11570, México, D.F.

www.megustaleer.com.mx

Comentarios sobre la edición y el contenido de este libro a:
megustaleer@rhmx.com.mx

ISBN 978-607-311-957-3

Impreso en México / *Printed in Mexico*

Para Irene, enorme fuente de energía

Índice

Introducción

Cuando se publicó la segunda edición de este libro en 1995, el mercado de la información se ubicaba en la prensa, la radio y la televisión. Internet apenas comenzaba su revolución y las redes sociales no irrumpían aún como la guerrilla cibernética que derrotó a la estructura de información vertical y autoritaria, la cual se relacionaba linealmente con su audiencia, para transformarse en una comunidad que habla horizontalmente. Las jerarquías han sido borradas, y en el más puro espíritu democrático, las palabras y las ideas de un ciudadano de la calle y una personalidad valen exactamente lo mismo.[1]

Desde que apareció esa segunda edición, el mundo cambió paradigmas y vive un momento de plenitud cibernética que no se sabe dónde terminará o cómo se ajustará en el futuro, pero movió todos los referentes. En ese entonces no había tenido lugar la "borrachera democrática" de la prensa mexicana de mediados de los noventa como consecuencia del final traumático del gobierno de Carlos Salinas, ni perdía aún su jerarquía dentro del concierto de los medios. Tampoco había atravesado por el sexenio del presidente Ernesto Zedillo, donde terminaron de desaparecer los controles institucionales sobre los medios y se entró en procesos de negociación entre el poder de los gobernantes y el poder de los medios. Lejos estaba el gobierno de Vicente Fox, donde la actitud laxa, desenfadada y poco cuidadosa en sus palabras y mensaje presidencial dieron comienzo a una era de golpeteo permanente sobre la autoridad que se extendió al sexenio de Felipe Calderón, donde los medios giraron sus jerarquías de la información general a la policiaca, y al final fueron rebasados por el fenómeno emergente de las redes sociales.

En 1995 comenzaba la transformación de la institución más obsoleta de todas, la de la prensa, que era la única que en los ochenta no había pasado por un proceso de renovación y regeneración.[2] La prensa, entendiéndose por esto la impresa, era la materia prima de la opinión pública y el Cuarto Poder,[3] que había tenido durante la presidencia de Carlos Salinas el primer impulso para su modernización: inamovible durante los tres primeros años del gobierno salinista, la prensa se convulsionó entre 1992 y 1994.[4]

La reestructuración de la economía mexicana, que trajo consigo toda una serie de cambios estructurales en los patrones culturales, las relaciones laborales y la disponibilidad de recursos, tuvo un importante impacto hacia el interior de los medios, que entraron en un proceso de recomposición y reajuste para lo que, consideraban, sería una férrea competencia en los años venideros. Al mismo tiempo, el gobierno de Salinas emprendió una serie de medidas que, tendientes al control y a la mejor administración de su gasto en prensa y propaganda, comenzó a golpear en las economías de los medios de comunicación mexicanos, iniciando una nueva etapa en que, para sobrevivir, cuando menos tendrían que realizar ajustes internos (laborales y en costos de producción).[5]

Finalmente, la institución de la prensa en México, que se había mantenido al margen de la gran reforma nacional, empezó a sumergirse en ella, sin tener claro quiénes serían los ganadores, quiénes los perdedores, quiénes saldrían adelante, quiénes se quedarían en el camino, y si la dinámica iniciada traería una nueva relación prensa-gobierno de manera natural o si esta, dados los sacudimientos observados, se podría acelerar más allá de los deseos de la misma prensa o el gobierno. Pero los cambios realizados en aquellos años, por razones de la reconversión de la economía mexicana y la implantación de un sistema neoliberal, no fue lo único que cambió.

12

Con Salinas también se modificó la forma de comunicarse con las élites. En lo interno, priorizó los medios electrónicos. Su gobierno utilizó la radio como la arena donde su gabinete dirimía temas de la agenda política y sensibilizaba a la opinión pública, en un ejercicio que resultó tan efectivo para construir el consenso para gobernar y el respaldo para la transformación mexicana, que vivió transexenalmente, hasta los días de esta tercera edición, como un vehículo de comunicación política indispensable. La radio ha sido utilizada desde entonces como el mejor vehículo para enviar mensajes, y quien llevó a un grado supremo su utilización con sentido estratégico fue Andrés Manuel López Obrador.

Cuando López Obrador asumió la jefatura del gobierno del Distrito Federal, tenía bien diagnosticado que la ciudad era un polvorín a partir de informaciones que, sin ser trascendentes, impactaban fuertemente en los asuntos de gobierno. El análisis que tenía era que el gobierno de la ciudad "amanecía muy tarde"[6] y que cualquier incidente, por menor que fuera, generaba una mala impresión sobre la autoridad. Derivado de ello optó por inaugurar sus llamadas "conferencias mañaneras" a las siete de la mañana, con lo cual obligó a la burocracia a comenzar a trabajar en forma activa más temprano y, sobre todo, a reaccionar en tiempo real ante accidentes y robos patrimoniales que, sin ser normalmente problemas que afectaban el comportamiento general de la sociedad, estimulaban la percepción de un gobierno rebasado.

Las "conferencias mañaneras" produjeron el efecto buscado por López Obrador: mostrar a la ciudadanía que había un gobierno atento a sus preocupaciones y rápido en atender los problemas. El método evolucionó a un campo político, y el entonces jefe de gobierno del Distrito Federal comenzó a utilizarlas para plantear los temas de la agenda pública y comenzar de esta forma a proyectarse como una figura nacional, con lo que inició, informalmente, su primera campaña por la presidencia de la República, en 2006. López Obrador mostró a los políticos con aspiraciones superiores que la buena utilización les permitía mostrarse ante audiencias masivas y construir por medio de estas *comparecencias* públicas una imagen nacional. Después de López Obrador, se podría argumentar que quien mejor utilizó el vehículo para esos fines fue Luis Videgaray, quien en el momento en que esta edición sale al público es secretario de Hacienda, pero que construyó una imagen de político articulado, inteligente y buen polemista durante la campaña presidencial de 2012.

Videgaray aprovechó el foro que abrió la conductora de radio Carmen Aristegui durante la campaña presidencial —para repetir con una mesa semanal donde debatían los coordinadores de las tres principales campañas, en la cadena MVS, el acierto mediático que había tenido seis años atrás en W Radio cuando hizo lo mismo con los voceros oficiosos de las campañas de Felipe Calderón, Roberto Madrazo y López Obrador—: semanalmente acudían él y sus contrapartes del PAN, Roberto Gil, y de la izquierda, Ricardo Monreal. La capacidad mediática del entonces coordinador de la campaña de Enrique Peña Nieto y su articulación retórica le generaron aplausos entre los propios y reconocimiento entre sus adversarios. Videgaray continuó con el aprovechamiento de la radio en el inicio del nuevo gobierno, aunque en forma selectiva: no iba a todos los espacios, ni cuando los medios lo buscaran.

Se puede argumentar que Videgaray, como López Obrador, son los políticos que mejor han entendido la utilización de la radio para sus fines ulteriores. La radio colabora con ellos en un juego de valores entendidos: lo hizo con López Obrador, por la prominencia de un poderoso líder de la izquierda, y con Videgaray, que construyó su imagen como la persona más cercana e influyente en el arranque del gobierno del presidente Peña Nieto. La radio se convirtió, si no en un megáfono de los políticos, como lo fue la prensa mexicana 30 años antes, sí en un vehículo que era más aprovechado que utilizado por ellos mismos para brindar el servicio público de informar. Los políticos, como ellos dos, acudieron a la radio para transmitir su mensaje en tiempo y forma, y difícilmente se salían de la agenda que llevaban preparada.

Pero la radio no fue, en la primera década de este siglo, el vehículo más adecuado para la propaganda política. La televisión fue utilizada como una herramienta de promoción política que despertó enormes polémicas que permanecen sin ser resueltas. Peña Nieto se convirtió en la metáfora de la utilización del medio con fines políticos, lo que generó discusiones que todavía a la salida de esta edición no se resolvían[7] y difícilmente podrán resolverse. El debate sobre el empleo de la televisión por parte de Peña Nieto fue una secuela política directa de la forma como en las elecciones de 2006 se utilizaron los *spots* durante la campaña presidencial[8] y que motivó una nueva ley electoral en 2007 para tratar de controlar la propaganda negativa mediante la regulación, supervisión y vigilancia sobre el uso de los anuncios.[9]

Pero en cualquiera de estas plataformas, si bien cambiaron en sus márgenes de independencia, autonomía y de la relación financiera estructurada con el gobierno como existía predominantemente cuando se publicó la segunda edición de este libro, lo que no se había modificado era la manera como se comunicaban las élites y la arena en la cual se intercambiaban mensajes. La prensa mexicana funcionaba en muchos sentidos como la francesa en los orígenes de la prensa moderna, donde bajo la supervisión del príncipe, sus miembros se vigilaban recíprocamente, ejercían control sobre la obediencia a todas las normas de protocolo y quien las desobedecía era castigado con la marginación, el ridículo y el oprobio. En este modelo jerárquico, la prensa estaba al servicio centralista del poder del Estado, que tenía un sistema de premios y castigos que operaba en realidad como un mecanismo disciplinario para favorecer la publicación de las noticias oficiales, el ensalzamiento de los usos y costumbres del orden político y, por tanto, el mantenimiento del *statu quo.*[10]

En todos los años que han transcurrido desde que se publicó la anterior edición de este libro, se avanzó en la profesionalización de los medios desde el punto de vista de empresa y también en las formas de hacer periodismo. Tuvieron que pasar años de confusión y mucho ruido en la prensa; el historiador y escritor Héctor Aguilar Camín definió aquella etapa, concentrada entre 1994 y 1996, como "la borrachera democrática",[11] que fue un periodo de enormes abusos en los medios para con sus interlocutores, a los cuales se les difamó, acusó sin pruebas y dilapidó su fama pública.[12] Los medios se fueron regulando ante los excesos en los que muchos incurrieron, pero no modificaron su forma de relacionarse con el poder.

Durante la campaña presidencial de 2006 se empezaron a notar los vientos de cambio en la comunicación política y, por tanto, en la forma como procesaban la información los medios y la distribuían. Las campañas electorales, en particular la de Calderón, encontraron la fórmula para comenzar a utilizar las tecnologías existentes para la comunicación política. En ese año se empleó el correo electrónico como vehículo central de propaganda negativa en contra de su principal adversario, López Obrador,[13] que se añadió a la utilización de la propaganda electoral tradicional.[14] Para la campaña presidencial de 2012, las redes sociales, política y comunicacionalmente inexistentes en 2006,[15] se habían posicionado como un vehículo de comunicación instantánea que rebasaba a los medios tradicionales.

El momento paradigmático de esta revolución en la cual estábamos inmersos cuando se terminó esta tercera edición puede situarse en la visita que realizó Peña Nieto, el candidato del PRI a la presidencia, a la Universidad Iberoamericana.[16] La protesta estudiantil cobró fuerza porque los estudiantes utilizaron Twitter y Facebook para comunicar lo que había sucedido, con lo cual los medios tradicionales, rebasados por la difusión de los pormenores del evento, se vieron obligados, voluntariamente o en contra de sus deseos primarios, a darle cobertura y seguimiento a lo que significó, se puede plantear como hipótesis, "el Muro de Berlín" entre los medios que operaban con categorías del pasado y aquellos que en busca de alcanzar el futuro en el que caminaba la sociedad comenzaron a cambiar sus formas de entregar la información.

Lo más importante fue el giro, aún imperceptible para muchos, de la comunicación: de una estructura jerárquica vertical, a una horizontal donde no hay jerarquías.

Las redes sociales son plataformas de comunicación, pero no pueden ubicarse en la categoría de medios de comunicación.[17] Pero al mismo tiempo, ni los medios de comunicación ni los comunicadores o periodistas pueden abstraerse de ellas. Las redes, en particular Twitter, se convirtieron en el vehículo más rápido para poder informar en tiempo real, donde los ciudadanos compiten con los periodistas. No hay todavía ningún reportero que haya informado más rápido sobre un desastre que una persona que emplea en automático la red cuando, por razones del azar, se encuentra en el lugar del acontecimiento. Los periodistas contribuyen con la confirmación y la ampliación de datos sobre el suceso, aunque también hay ciudadanos, con profesiones y ocupaciones distintas, que se han distinguido por la calidad de la información de contexto que han aportado en su momento.[18]

Los periodistas acuden a Twitter, mucho más que a Facebook, para promover sus trabajos, sus espacios de noticias y, quizás de manera más notoria, para estar en competencia permanente con sus pares por la exclusividad de las informaciones. Si bien se puede documentar que no hay periodistas que hayan ganado la comunicación sobre un desastre, siniestro o hecho público, también es cierto que no hay ciudadano que haya ganado todavía a ningún periodista una información que no es del dominio público, porque se requiere tener acceso a las fuentes de información que pueden aportarla. Ese acceso no se gana por medio de la actividad y prominencia en las redes sociales, sino como resultado de un trabajo sistemático en el campo del periodismo.

Ese trabajo requiere de técnica y ética, de un método sistematizado y de conocimiento de los aspectos básicos del periodismo. Al mismo tiempo, estos fundamentos esenciales impiden lo que trajo aparejado el advenimiento de las redes sociales: la utilización de las plataformas para desinformar con fines específicos por parte de fuerzas oscuras. Twitter se convirtió en un conducto por el cual se ha engañado a medios y construido realidades alternas, virtuales, que han desestabilizado a sociedades y modificado sus patrones de comportamiento. Hay dos casos notables, cuando desde cuentas anónimas de Twitter se comenzó a difundir que Reynosa, en Tamaulipas, era sujeta a balaceras por toda la ciudad, lo cual ocasionó una profunda crisis de gobierno,[19] y el de Veracruz, cuando dos individuos tuvieron la ocurrencia de difundir por Twitter que estaban secuestrando a niños en las primarias, lo que también generó una crisis de pánico en el puerto.[20]

En ese sentido, la revolución causada por las redes sociales y el cambio de comunicación de lo vertical a lo horizontal, o de las formas de relacionarse financiera y políticamente los medios con el poder, no han modificado los principios básicos del periodismo, al contrario: los potencia. Quien aprendió correctamente la técnica de la noticia, sobresaldrá en redes como Twitter. Quien entiende los fundamentos del reportaje, la crónica y la investigación, tendrá en las redes sociales una mayor difusión de un trabajo de calidad que antes tenía una audiencia restringida y, por tanto, un impacto limitado.

Las nuevas tecnologías no se enfrentan a los principios básicos del periodismo, sino que dependen de ellos para iluminarlas y contribuir al mayor conocimiento de lo que sucede detrás de las paredes y debajo de las mesas, y a la mejor explicación sobre los fenómenos sociopolíticos y económicos que se viven. En ese sentido, este manual de periodismo ratifica la idea de que regresar a lo básico es fundamental para aprovechar mejor y a plenitud la maravilla de la comunicación horizontal y de las tecnologías que vuelven nómadas[21] a los ciudadanos, sin olvidar que el *qué, quién, cuándo, dónde, cómo* y *por qué* seguirán siendo herramientas claves en un mundo donde quien busca información la quiere en el momento que desea, con la jerarquía que escoja, en la plataforma de su conveniencia pero, siempre, en espera de que la calidad de la información sea la mejor.

Las nuevas tecnologías cambiaron la forma en que los gobernantes se comunican con los gobernados, y han contribuido a la destrucción de los medios como los únicos intermediarios entre ellos. Lo que no desmontaron, sino piden llevarla a niveles superiores, es la calidad de la información, que solo se logra si se aplican los fundamentos básicos del periodismo. Parece muy sencillo, pero quienes son practicantes de esta profesión saben la complejidad y dificultad para llevarlo a cabo todos los días, con la exigencia adicional de que la información se volvió inmediata, y la audiencia a la que llega, tan exigente que no perdona errores; fustiga y lastima. Son los tiempos que se viven. Fascinantes y demandantes.

Notas

[1] Para entender gráficamente el cambio radical de la cadena de valor en los medios, véase "The Evolution of News and the Internet", un reporte desclasificado de la Organización para la Cooperación y el Desarrollo Económico, 11 de junio de 2010, pp. 33 y 51.

[2] Riva Palacio, Raymundo, *La prensa de los jardines. Fortalezas y debilidades de los medios en México*, México, Plaza & Janés, 2004, p. 87.

[3] El concepto de "Cuarto Poder" se atribuye al escritor y político irlandés Edmund Burke, quien en el siglo XVIII lo utilizó para describir la influencia que tenía la prensa nacional en los prolegómenos de la Revolución francesa.

[4] Riva Palacio, *loc. cit.*

[5] *Ibíd.*, p. 111.

[6] Conversación con Andrés Manuel López Obrador, 2002.

[7] Durante la campaña presidencial de 2012, el periódico inglés *The Guardian* publicó una propuesta que había hecho Televisa al entonces gobernador del Estado de México, Enrique Peña Nieto, donde se incluía la posibilidad de insertar propaganda política disfrazada de información. El reporte del diario argumentaba que Peña Nieto era un candidato que la televisión había construido, una acusación repetida durante varios años en diversos medios mexicanos. El equipo de campaña de Peña Nieto negó las imputaciones y estableció que esa propuesta nunca se llevó a cabo. Televisa fue más allá y amenazó con demandar a *The Guardian*. Para evitar ir a tribunales, y ante la imposibilidad de probar que esa propuesta comercial se había materializado en un contrato, acordó con la televisora retractarse y "resolver amistosamente sus diferencias" mediante un comunicado conjunto que se publicó el 12 de febrero de 2012.

[8] Véase Juárez Gámiz, Julio, "Las elecciones presidenciales de 2006, a través de los *spots* de campaña", *Espiral, Estudios sobre Estado y Sociedad*, vol. XIV, Núm. 40, septiembre–diciembre, 2007.

[9] Véase el impacto de la ley en los medios en Buendía Hegewisch, José, y Azpiroz Bravo, José Manuel, *Medios de comunicación y la reforma electoral 2007-2008. Un balance preliminar,* México, Tribunal Electoral del Poder Judicial de la Federación, 2011.

[10] Riva Palacio, *op. cit.*, p. 156.

[11] Aguilar Camín hizo la referencia en un ensayo de 1994, donde retomó la frase acuñada por Alain Minc. Véase Minc, Alain, *La borrachera democrática: El nuevo poder de la opinión pública*, Madrid, Temas de Hoy, 1995.

[12] Véase Riva Palacio, Raymundo, "La hora de la cordura", International Media Center, Miami, 1999.

[13] Como no se habían dado en forma planificada antes de las elecciones presidenciales de 2006, los medios y la opinión pública fueron inundados de campañas negras anónimas que buscaron alterar la opinión del electorado y su voto, como la emisión de un millón y medio de correos electrónicos diarios durante el último mes de campaña presidencial, lo cual estaba fuera del alcance de la ley. La práctica continuó en futuras elecciones sin ley que la frenara, a lo que se añadieron recursos como las llamadas *push polls*, una técnica de mercadeo que utiliza mentiras y difamaciones para alterar el punto de vista del elector: se hacen telefónicamente para persuadir a un amplio número de votantes y afectar resultados electorales, no para medir opiniones, que es lo que hacen las encuestas. La Asociación Americana para la Investigación de la Opinión Pública, de Estados Unidos, las condena por ser "una insidiosa forma de campaña negativa disfrazada de encuesta" que viola los códigos éticos y de prácticas profesionales. Fueron utilizadas tan recientemente como en las elecciones para gobernador en Baja California, el 7 de julio de 2013, donde los opositores al candidato del PAN hicieron entre 500 mil y un millón de llamadas telefónicas diariamente para preguntar si el candidato, cuyas propiedades eran "resultado de su corrupción", debía gobernarlos.

[14] Un ejemplo de ello fue la elaboración sistemática y planificada de una campaña negativa en contra del candidato de izquierda. Un *spot* generó polémica nacional: un mensaje en televisión donde lo señalaban como "un peligro para México", cuyo impacto fue tan severo en la campaña de López Obrador que le tomó 20 días para reaccionar, además de otros anuncios negativos que pese al tono entraban dentro de lo que podía aprobarse o sancionarse.

[15] Para efectos de comunicación política, fue la red social Twitter la que más se utilizó. Aunque varios de los principales periodistas comenzaron a utilizarla esporádicamente desde 2009, levantó su potencial en 2011 y para el año siguiente se había convertido en el vehículo más eficiente para transmitir información lo más rápido posible, con lo cual los portales de los periódicos, que habían

destronado a la radio como el vehículo más veloz para informar, quedaron rebasados.

[16] Durante su campaña presidencial, Enrique Peña Nieto visitó la Universidad Iberoamericana el 11 de mayo de 2012. Desde el principio fue abucheado por un grupo de estudiantes a las afueras del auditorio. Dentro de él, el discurso de Peña Nieto y su interacción habían transcurrido sin mayor problema. Una vez terminado, ya cuando se retiraba del escenario, Peña Nieto regresó al micrófono para explicar por qué utilizó a la fuerza pública para disolver la protesta que en 2006, cuando era gobernador del Estado de México, realizó parte de la comunidad de San Salvador Atenco contra la construcción de un nuevo aeropuerto internacional en los suburbios de la ciudad de México. Ese último mensaje indignó a los estudiantes, que masivamente expresaron su reclamo cuando iba camino a la salida de la universidad. La actitud de varios funcionarios del PRI, que los llamaron "acarreados", detonó un movimiento interno donde los jóvenes difundieron en YouTube 131 testimonios que decían principalmente "no soy acarreado". La original protesta dio origen a otro movimiento, Yo Soy 132, que se extendió a otras universidades y alcanzó a organizaciones sociales.

[17] Los medios de comunicación en realidad deben definirse en la actualidad como medios de información, al verse regidos por un conjunto de criterios entre los cuales sobresale el de la verificación de sus aportes. Los medios no difunden la información como materia prima, sino que pasa por un proceso de confirmación y corrección, al cual se le añade balance y justicia para todas las partes. Si fallan, ello tiene costos ante la opinión pública y una merma en su prestigio y credibilidad. Las redes sociales son vehículos de comunicación en su más pura expresión, no se deben ajustar a ningún criterio ni tienen la obligación y responsabilidad de ser precisas y aportar todos los elementos para construir la verdad en una noticia. No pasan por ningún proceso de confirmación o corrección, ni tampoco se ven obligadas, por naturaleza, a añadir balance y justicia para todas las partes. Mentir o difamar no tiene costo alguno porque la verdad y la credibilidad no son incentivos de las redes sino de los medios.

[18] Un caso notable fue el de Jorge Contreras, un ingeniero en computación que se identifica @JorgeContrerasN en Twitter, que el día en que la Policía Federal tomó el control de la compañía Luz y Fuerza del Centro, el 10 de octubre de 2009, colocó en esa red un decreto de la Secretaría de Energía de un mes antes, donde anticipaba la medida. Este decreto en el *Diario Oficial* había pasado desapercibido para toda la prensa.

[19] Entrevista de Mario Campos al autor, en Antena Radio Primera Emisión, 1° de marzo de 2010.

[20] El 25 de agosto de 2011 los maestros veracruzanos Gilberto Martínez Vera y María de la Luz Bravo Pagola difundieron mensajes por medio de Twitter y Facebook donde advertían que había secuestros, lanzamiento de granadas y matanzas de niños desde un helicóptero en las escuelas. Lo que difundieron era

falso, pero provocaron una profunda psicosis y pánico en Veracruz. La respuesta del gobierno fue acusarlos por terrorismo y sabotaje, cargos que finalmente fueron desechados por la autoridad después de que ambos dijeron que nada de lo que habían escrito era verdad.

[21] Un gran ensayo sobre la sociedad nómada a partir de la cuarta revolución que ha vivido el mundo, la de la información, se puede encontrar en el libro de Jacques Attali, *Milenio*, Barcelona, Seix Barral, 1992.

I

Más allá de los límites

"¿En qué consiste ser periodista?", preguntó Mark Twain a su primer director. "¿Qué necesito hacer?"

El director respondió: "Salga a la calle, mire lo que pasa y cuéntelo con el menor número de palabras". Twain, quien había fracasado en todos los oficios en que incursionaba, así lo hizo y se convirtió en periodista. "¿En qué consiste ser periodista?" es una pregunta de respuestas múltiples, de acepciones diferentes, de enfoques variados.

Periodista, según una definición universalmente aceptada, es un trabajador que interviene en la captación, procesamiento y difusión de informaciones —manejando los géneros reconocidos a nivel internacional— por conducto de los medios de comunicación masiva, sean impresos o electrónicos.[1] Ser periodista va más allá de una fría definición de diccionario. El término genérico de "periodista" puede tener interpretaciones que no se ajusten a la realidad: hay quien con colaborar semanalmente en un medio ya se identifica como periodista, pero eso en realidad no lo hace ser parte integral de la profesión.

Periodista es quien vive de ello, lo que ya es en sí una definición que establece fronteras para el gremio y reduce la posibilidad de que personas que no ejercen verdaderamente el oficio se incorporen en una categoría que implica gran esfuerzo y dedicación.

Para efectos de este texto, la definición de periodista se reduce aún más; se limitará a lo que es un reportero o reportera, alguien que ha tenido una o varias de las siguientes experiencias: haber hecho una guardia, cubrir el sector policiaco, ser regañado por sus jefes, perder una nota, verse increpado por una fuente de información.[2] Tal definición, en efecto, reduce injustamente las fronteras de lo que es reportear, pero a cambio de ese sacrificio permite incorporar aquellos elementos que cuajan y templan al periodista, quien vibra y se emociona cuando por primera vez su nombre rubrica una información y su estómago cosquillea nerviosamente cuando intuye que tiene una gran noticia, y sus ojos y mente miran al mundo en forma de columnas, de imágenes y de reacciones. Quienes no vean o sientan dentro de esos parámetros, quienes no estén estimulados por la necesidad de informar, de comunicarse, no tienen por qué perder el tiempo: el periodismo no es su vocación.

El periodismo es visto por muchos, desde dentro y desde fuera, como una obsesión o hambre de informar, una necesidad de saber para contarlo.

El periodismo es mucho más que eso, como alguna vez escribió Tom Wolfe:

En 1962, después de unas tazas de café aquí y allá, llegué al *New York Herald Tribune*… ¡Ese debía ser el lugar!… Contemplaba la oficina del *Herald Tribune,* a cien polvorientas yardas del sur de Times Square, con una especie de atónito embeleso bohemio… O eso es el mundo real, Tom, o no hay mundo real… El lugar parecía el cepillo de limosnas de la Iglesia de la Buena Voluntad… un confuso montón de desperdicios. Escombros y fatigas por doquier. Si el redactor-jefe de noticias locales, por ejemplo, disponía de una silla giratoria, la articulación estaba rota, de tal modo que al levantarse se desplomaba cada vez como si hubiera recibido un golpe lateral.[3]

Como Wolfe, muchas y muchos otros antes y después cayeron seducidos y enamorados por una profesión cuyo andamiaje parece más desportillado que cimentado, donde parecieran hijos e hijas de la mala vida, con padecimientos y sufrimientos, con limitaciones y deficiencias para su desarrollo. ¿Por qué, entonces, escogieron ese camino? Indiscutiblemente porque en el periodismo hicieron un proyecto de vida.

Para Twain, los y las periodistas* son personas que no fueron derrotadas por los fracasos, y en esa voluntad y decisión se encuentra la razón de un invento: el periodismo, que siendo la más humilde y desinteresada de las actividades cognoscitivas del ser humano, aporta el humus, la savia, el lubricante y la energía con los que el resto (casi) de la actividad humana, de un modo adulto y enterado, puede funcionar.[4]

Ser periodista implica ser alguien singular y admirable. Significa ser una persona curiosa y vivaz que no se permite creer nada hasta que no lo averigua por sí mismo y comprueba por lo circundante el qué, el quién, el cuándo, el cómo, el dónde y el porqué.

Desconfiado, escéptico, ágil, osado, el periodista es un irrefrenable *correo del zar* y no atiende más razones que las encomendadas en su absurda vocación de comunicador. No le importa que el mundo no quiera saber, que los censores duerman con un ojo cerrado y un puñal en la mano, que la buena marcha del orden requiera siempre un espeso equilibrio entre la ocultación y la propaganda. El periodismo está ahí para contar lo que pasa, y lo demás lo tiene sin cuidado.[5]

Quien se dedica al periodismo no trabaja tanto por el dinero, porque no habría sueldo que compensara su tarea. Trabaja para su medio, al que le da su tiempo, salud, mente, horas de sueño, horas de alimentos y a veces hasta su vida para sacar noticias con ello, y cree que el sol sale únicamente para que los hombres tengan luz para leer lo que escribió.[6]

El periodista no es un proyectista ni un moralista, tampoco un terapeuta o un hermeneuta, ni mucho menos un filósofo de la historia o un manipulador. Si en su mochila carga a un mariscal, a un político, a un filósofo, a un predicador o a un literato, el periodismo

* En adelante, cuando el autor escriba «el periodista», hará referencia al profesional de la información en términos genéricos, por lo que se incluye a mujeres y hombres de manera indistinta.

que produzca será turbio mensaje que en nada clarificará al mundo. Y si el informador es demasiado cruel, demasiado sentimental o demasiado sesgado hacia apriorismos y fanatismos, el periodismo que produzca será una desdicha y una hemipléjica complicación para el medio en el que trabaje y para aquellos que caigan bajo su desinformada información.[7]

Tampoco es mesiánico o iluminado. La vanidad le juega a favor y en contra y, poseedor siempre de una butaca de primera fila en la historia, no pocas veces se regodea en su ego. Se regocija con solo pensar que en menos de un lustro ya acumuló más experiencias que las que un empresario ordinario, un abogado o un ciudadano común y corriente podrían juntar en toda su vida. Ha aprendido a pensar y a actuar rápidamente. Es capaz de tener una paciencia inagotable y de permanecer con la mente fría cuando los demás ya perdieron la cabeza. Puede escribir tan rápido como otra persona habla, y conversar sobre temas acerca de los que otros no se aventuran a abrir la boca.[8]

Pero también, como ha reconocido Juan Luis Cebrián,[9] el periodismo es una profesión difícil y no exenta de pecados: "Está llena de locos e iluminados, con ganas de ser santos y generales, políticos y artistas, deseosos de conocerlo todo, machacarlo todo, seducir mujeres, alternar indistintamente con tahúres o con ministros, jugar al comisario, al espía, al escritor", escribió: "Hay entre nosotros aventureros, burócratas, funcionarios, payasos, sumos pontífices, aguafiestas y algún rompedor de escapularios".

En fin —como apunta Jean-Louis Servan-Schreiber—, si su talento no es muy superior a la media, incluso si son periodistas deportivos, cualquier periodista se considera un poco como un intelectual.

Trabajador sin herramientas, su capital profesional está completamente bajo su gorra. Aunque su patrón lo despida, no puede arrebatarle sus instrumentos de trabajo. Entre todas las profesiones asalariadas, el periodismo es una de las que ofrecen mayor iniciativa intelectual, creatividad e independencia.[10]

La profesión del periodista es multifacética. *Glamour,* aventura, estatus, prestigio y fama, son peculiaridades en la cara ideal. Presión, tensión, preocupación constante, es una visión más aproximada a la realidad. De vocación y alegrías, de tribulaciones y sacrificios, de penurias y dolores se puede hablar en todas las profesiones. Pero en el periodismo, como en muy pocas otras, se requiere de algo más, intangible e inexplicable, que levanta de entre el más grande abatimiento y el revés más penoso, por encima de las frustraciones y las humillaciones, porque más allá de todo está una irrefrenable determinación por divulgar lo que acaba de descubrirse. Ese impulso le permite a un periodista sobreponerse y vencer cualquier adversidad. Pero la lucha debe ser permanente y continua.

En el periodismo —solía decir un experimentado periodista, Carlos Figueroa Sandoval— hay dos tipos de reporteros: los "macheteros" y los "gitanos". Los "macheteros" son quienes necesitan cualquier medio para llenar sus espacios y realizan con eficiencia burocrática la rutina cotidiana. Los "gitanos" son aquellos que con iniciativa, dedicación y esfuerzo —que no dudan en llevar más allá de sus posibilidades— le dan personalidad y trascendencia a su trabajo, así como distinción y clase al medio que representan.

Son dos caminos que marcan destinos y fortunas.

Ambas tipologías marcan la diferencia entre quienes escogieron quedarse en la mediocridad y los que quisieron y lucharon por salir de la mar de los muchos. Como Mark Twain, quien nunca cejó.

Hubo un periodista, por ejemplo, que viajó 18 000 kilómetros durante seis meses para entrevistar a más de 100 personas y lograr una información que luego nadie quería publicar. Entonces se vio forzado a crear un servicio de noticias para distribuir esa información a periódicos pequeños; para cuando los grandes medios tuvieron que comenzar a reproducir lo que antes menospreciaron —la revelación de una matanza de civiles en My Lai por parte de tropas estadounidenses—, ya le había dado otra dimensión a la guerra de Vietnam.[11]

Otro consiguió, con personal de la rotativa de *El Nacional,* las galeras del *Diario Oficial,* y logró adelantar la primicia de la nacionalización de la industria eléctrica en México.[12] Uno más anticipó los planes de un impuesto patrimonial a los mexicanos, y la sola revelación provocó uno de los más grandes enfrentamientos que ha tenido el gobierno de México con medio alguno.[13] Otro periodista, quien dejó que un *tip* guiara su intuición, invirtió en un viaje a Granada días antes de la invasión de Estados Unidos, gracias a lo cual obtuvo las únicas fotografías de la intervención, que se reprodujeron en todo el mundo.[14] Más recientemente, para poder encontrar contratos y convenios que varios gobiernos municipales otorgaron irregularmente a la tienda departamental Walmart en varias partes de México, una periodista tuvo que realizar unas 800 solicitudes al Instituto Federal de Acceso a la Información,[15] con lo cual su trabajo contribuyó a que el periódico que lo denunció ganara un Premio Pulitzer.[16]

El periodismo es también un ejercicio de osadía y audacia, de mentes rápidas y acciones relámpago. Hubo un reportero que se fingió atropellado para ser recogido por una ambulancia de la Cruz Verde, lo que le permitió ingresar al hospital donde se habían llevado moribundo a León Trotski y salir de allí con la exclusiva de su muerte.[17] Otro conservó mayor calma cuando se escucharon disparos sobre el presidente John F. Kennedy, y pudo reaccionar con la suficiente rapidez para agarrar el teléfono en el auto en que viajaba y no volverlo a soltar hasta haber transmitido la información completa, pese a los golpes de otro periodista que quería el aparato mientras veía cómo se le iban la gran noticia y el Premio Pulitzer, que fue para su veloz competidor.[18] Dos fotógrafos mexicanos enviados a Moscú a cubrir los Juegos Olímpicos en 1980, sin la acreditación a tiempo para iniciar su trabajo, lograron entrar varios días a la Villa Olímpica mediante una argucia: en la puerta de salida caminaban de espaldas, con lo cual los policías, que solo atendían a quienes venían de frente, nunca los descubrieron.[19]

Los periodistas son como soldados: un día deben ir a recorrer una morgue en busca de pistas noticiosas, y otro asistir a una cena de etiqueta en el Palacio Real de Estocolmo. Alguna vez podrán almorzar con el jeque Yamani en un restaurante donde el cubierto cuesta 200 dólares, y otra deberán caminar 12 horas en la montaña para entrar clandestinamente a un país centroamericano y escribir un reportaje sobre los territorios controlados por la guerrilla. Un día los envían a un incendio, y otro a un pueblo donde en una planta nuclear sucede un accidente. Pueden recorrer un camino minado para llegar a hacer la crónica de una población salvadoreña, dejada a un personaje que, quizá, ni el saludo ofrecerá como compensación. O soportar lluvias y vientos, y desafiar el fuego y el peligro por la necesidad de una buena imagen. Los periodistas cumplen.

Circunscribir al periodista meramente a su función reporteril sería limitar lo que es y debe ser su responsabilidad profesional.

Los periodistas deben ser personas honestas, entendiéndose por honestidad un valor integral que tiene que ver fundamentalmente con un comportamiento y una actitud frente a la vida. No solo significa permanecer ajeno a los circuitos de la corrupción que plagan al periodismo mexicano, además implica responsabilidad para con los receptores de la información y escrupulosidad y rigor en el trabajo.

La profesión periodística no es la más estimada en las diversas sociedades del mundo. La mexicana no es la excepción. Suele considerársele un "mal necesario" entre quienes toman las decisiones. Los estereotipos y los cartabones ubican al periodista mexicano con un perfil muy negativo, lo que repercute en su credibilidad y trabajo. Cuando se publicó la segunda edición de este libro, se apuntó que una encuesta nacional realizada por el Centro de Estudios Económicos del Sector Privado en 1987 mostraba que solo el 37% de los mexicanos creían en la prensa.[20] Los bajos tirajes de los periódicos mexicanos[21] y la falta de credibilidad en los noticieros de televisión, eran otro indicativo del papel en declive del periodismo. Aquella encuesta no tomaba en cuenta el impacto positivo que la apertura política en México, que llegó en la siguiente década, tendría sobre los medios.

Esa tendencia no era solo alarmante para los medios y los periodistas, sino para la sociedad en su conjunto. Los medios de comunicación independientes representan uno de los pilares de todo sistema democrático, pues sin ellos los regímenes no cuentan con un dispositivo que les permita ver sus errores para corregirlos. Los medios de comunicación constituyen un espejo de la sociedad y, a la vez, sirven de puente entre gobernantes y gobernados. Su ruptura impide el diálogo y provoca solo un monólogo de arriba hacia abajo, que es lo que se ha venido dando en México.

Revertir esa tendencia es responsabilidad directa de los periodistas, que son quienes dan vida a los medios. Pero su función no es tomar partido, lo que no supone dejar de tener una posición determinada. Ese camino se comenzó a recorrer en dicha década, al comenzar el proceso de transición democrática[22] que trajo consigo la recuperación de la credibilidad de medios y periodistas. Todo proceso de transición democrática implica un cuestionamiento a sus instituciones públicas, que fue el camino que más por el empuje de la sociedad que por conciencia democrática comenzaron a recorrer medios y periodistas. Para finales de la primera década del nuevo siglo, los noticieros de televisión y sus conductores, lapidados a mediados de los ochenta, emergieron del descrédito, y ante la falta de credibilidad de los políticos y los servidores públicos, alcanzaron sus más altos niveles de confianza.[23]

Un periodista es un ser político, pero ello no significa que deba hacer política. La militancia lleva implícito aliarse con una parte beligerante; el partidismo anula el equilibrio y el balance en las técnicas de reportear y redactar; los prejuicios quitan claridad a los juicios: todo esto combinado le resta credibilidad al trabajo de un reportero. La credibilidad es lo más difícil de construir, y lo más fácil de perder.

Los periodistas no son agentes del cambio social: ese papel protagónico no les pertenece. Más bien son vehículos de intercomunicación. Deben ser también quienes provean los conductos por los que se expresen los actores sociales. Son vasos comunicantes de toda la sociedad en un foro donde todas sus fuerzas puedan hablar y dirimir diferencias.

La única función válida en el periodismo es informar, descifrar los códigos de comunicación que no son accesibles a la mayor parte de la sociedad, y darle las herramientas y conocimientos para poder comprender mejor los hechos y acciones. Su papel no es servir solo como el medio por el cual intercambian mensajes las élites —que es el rol al que se ha relegado en los últimos años—, sino el de ofrecer el espacio desde el cual se comuniquen estas con las mayorías. En otras palabras: de la retaguardia en que se encuentran medios y periodistas, es preciso pasar a la vanguardia. Y el reto siempre será difícil.

Un arte experimental

Grandes escritores como Honorato de Balzac, Mark Twain y Winston Churchill tuvieron una prosa errática cuando jóvenes. Tanto Twain como Rudyard Kipling, Ernest Hemingway o Gabriel García Márquez tenían experiencia periodística, lo que les permitía ser más rápidos que otros escritores no entrenados en la presión de las horas de cierre, pero no por ello automáticamente mejores. Hemingway tuvo que escribir 49 veces el final de *Adiós a las armas* para sentirse satisfecho. Cuando le preguntaron por qué, respondió: "Para escribir correctamente las palabras".

Confucio sugería que las palabras deberían emplearse de manera precisa. Cuando se le preguntó qué haría primero si se le pusiera al frente del gobierno, contestó:

> Corregiría el lenguaje. Si el lenguaje no es correcto, entonces lo que se dice no es lo que se quiso decir, entonces lo que se debía de hacer permanece sin ser hecho. Y si permanece sin ser hecho, entonces se deterioran la moral y las artes. Si la moral y las artes se dañan, la justicia se extraviará. Si la justicia se extravía, la gente se quedará confundida y desamparada. Por lo tanto, no debe haber arbitrariedad en lo que se dice. Esto es importante por encima de todas las cosas.[24]

31

Escribir es un arte experimental, ha dicho el Premio Pulitzer Donald M. Murray; pero también es un oficio. Redactar noticias atractivas para los lectores no es lo mismo que escribir literatura. Son dos campos que hablan el mismo idioma, pero que se encuentran en terrenos distintos. En la poesía y en la ficción puede haber lugar para la ambigüedad, pero en la redacción periodística no hay cabida para ella.[25]

Hay, sí, diversos puntos de contacto. Cada pieza de una redacción comienza con una idea. Aunque tener una idea es esencialmente un proceso creativo, su fuente es usualmente identificable y un lugar común: una declaración ocasional, una imagen, un retrato, una persona, una novela, un ensayo, un incidente.[26]

Pero tener ideas no basta. Hay que saber cómo trasladarlas al papel, al *blog* o al periódico, la revista digital o las redes sociales. Así como la creatividad intelectual puede adoptar la forma de letras, ponerlas simplemente en blanco y negro, la redacción periodística debe ser clara, concisa, precisa e interesante.[27] O puesto de otra manera: debe ser concisa, precisa y maciza, y no confusa, difusa y profusa.

Escribir bien, bajo esa premisa, es más difícil de lo que se piensa. No hay nada más complicado para un periodista que la síntesis, y nada más preferido que la abundancia de palabras, el principal tesoro del periodista, y entre mejor empleadas y dosificadas estén, mayor será el impacto en quien las lea, y mejores los resultados. "Escribir bien es tan difícil como ser bueno", dijo Somerset Maugham. Y como señala Rene J. Cappon, puede haber una conexión: "Ser bueno requiere de un alto nivel de conciencia moral".[28] Escribir requiere de un elevado nivel de conciencia técnica; los periodistas comúnmente fallan por la poca atención que prestan a su trabajo, no por ignorancia. En ese sentido, saltan los pequeños y medidos pasos, así como el cuidado por los detalles que demanda el oficio:[29] citas tergiversadas, nombres mal escritos, títulos equivocados, son solo una muestra de estas deficiencias. En los ochenta, un reportero político de *Excélsior* preguntó a sus compañeros cómo se llamaba determinado diputado; uno le dijo un nombre, y otro le dio uno distinto. Confundido, el reportero escribió el que sonaba más correcto y justificó: "El periodismo no es una ciencia exacta".

Es cierto, el periodismo no es una ciencia exacta, pero el rigor profesional es indispensable en el oficio. El rigor construye la credibilidad, mientras que la falta de él solo proyecta irresponsabilidad. Hay que ser creativos, innovadores e imaginativos, pero a diferencia de la literatura, la escrupulosidad en los datos que se manejan debe ser inmaculada, a prueba de cualquier desafío o, mejor dicho en la jerga periodística, a prueba de cualquier desmentido. Como Murray lo ha expresado: "La creatividad no es el producto de la libertad, sino la suma de la libertad y la disciplina".[30]

Esa disciplina hace más difícil aún, y desafiante también, la redacción periodística. Hay grandes reporteros que nunca pudieron redactar. Uno de ellos, el finado Jaime Reyes Estrada, obtenía información donde otros habían fracasado y apilaba tantos datos y tan rápido como pocos podían, pero su redacción era tan deficiente que casi todos sus textos eran reescritos por la mesa de redacción de *Excélsior*.

Un rasgo que diferencia a los periodistas es cómo presentan su información; de los enfoques que eligen surge la calidad y profundidad, o las deficiencias y limitantes. En el argot periodístico mexicano, cuando alguien redacta mal una información se suele decir, sin importar en qué plataforma se escriba, que "se le fue la nota en la máquina".

Una muestra la tenemos en la forma como dos periódicos presentaron la información sobre la visita del secretario de Estado estadounidense, James A. Baker III, a las otrora repúblicas soviéticas en el momento en que la vieja Unión Soviética se desintegraba aceleradamente y reinaba la confusión mundial por el rumbo que tomarían los hechos:

Primer ejemplo:

Moscú. El presidente ruso Boris Yeltsin aseguró este lunes al secretario de Estado James Baker que la nueva Confederación de Repúblicas asumirá el comando conjunto de las fuerzas militares soviéticas, incluido el arsenal militar, dentro de un mes.

Segundo ejemplo:

Moscú. En la señal más clara hasta la fecha de que el ejército apoya a la nueva comunidad de ex repúblicas soviéticas por encima de la desintegrada Unión Soviética, el presidente Boris Yeltsin de Rusia llevó a su entrevista con el secretario de Estado James Baker a los ministros de Defensa y del Interior.

En ambos casos la estructura del párrafo es correcta, e incluso, si se ve fuera de contexto, el primer ejemplo parecería ser el más acertado en la redacción. Sin embargo, si tomamos en cuenta el momento por el que atravesaban las viejas repúblicas soviéticas y los rumores de que un nuevo golpe de Estado impediría la conformación de la nueva comunidad, el segundo ejemplo adquiere riqueza y trascendencia informativas que no da el primero. La comunidad internacional deseaba conocer cuál sería el comportamiento del ejército soviético ante el nuevo mapa de la antigua nación, a fin de saber quién tenía realmente el control político y el apoyo de los militares, para poder definir su política exterior y dejar de dar importancia a Mijaíl Gorbachov para otorgársela a Yeltsin, quien hasta ese momento había sido relegado a un segundo sitio. Si en el segundo ejemplo se responde desde la entrada de la información quién está al mando en la vieja Unión Soviética, en el primero el dato de los militares apareció hasta el párrafo 16, demasiado atrás para situar la entrevista Yeltsin-Baker como el virtual primer encuentro con el nuevo líder de la superpotencia del Este.

Si el rigor constituye la credibilidad en la información, la precisión es la herramienta indispensable con la que demostraremos a los lectores la seriedad de nuestro trabajo.

Los símbolos y las imágenes con los que uno se nutre, los puntos de referencia, las lecturas, las vivencias y las experiencias, van conformando en el periodista un mundo particular, donde la cultura está diversificada[31] y cuyas manifestaciones le producen sentimientos diferentes y apreciaciones distintas.

En los siguientes ejemplos se puede apreciar cómo, de un mismo tema, el de una ley en China para evitar la secesión de Taiwán, dos periodistas enfocaron su información de manera totalmente distinta:

Primer ejemplo:

Pekín. El Parlamento chino aprobó ayer la llamada Ley Antisecesión por la que autoriza el uso de la fuerza contra Taiwán si declara la independencia. La medida ha provocado la furia de los líderes de la isla, que la han calificado de "autorización para la guerra".

"China tendrá que pagar un precio por esta ley", advirtió Cho Jung-tai, portavoz del gobierno taiwanés. Taipei ha convocado a una manifestación para el 26 de marzo, en la que espera reunir a más de un millón de personas. El primer ministro chino, Wen Jiabao, aseguró que el único objetivo de la nueva ley es "la reunificación pacífica".

Segundo ejemplo:

Pekín. La Ley Antisecesión no es una norma para la guerra y apunta a reforzar las relaciones entre China y Taiwán, indicó este lunes el primer ministro Wen Jiabao, pero Estados Unidos consideró "desafortunada" su aprobación y la Comunidad Europea señaló que no quiere ninguna modificación al actual equilibrio político y militar en Asia.

La Ley "apunta a reforzar y promover las relaciones de un lado y otro del estrecho de Taiwán", afirmó Wen al término de los trabajos del Parlamento, que aprobó el texto elaborado por el Partido Comunista. La Ley, que prevé el uso de la fuerza si Taiwán declara su independencia, fue votada por 2 896 delegados, ninguno en contra y solo dos abstenciones.

Como se aprecia, los periodistas optaron por diferentes rutas para explorar el tema. En el primer ejemplo el enfoque fue eminentemente noticioso, y lo más importante, el hecho que propició el choque político entre China y Taiwán y las repercusiones en el mundo, dejando las declaraciones como apoyo del dato duro. En el segundo es al revés, se escogió la ruta declarativa como la parte más alta en la jerarquización, apoyada en los pronunciamientos del líder chino, relegando para un tercer nivel el hecho que motivó el altercado.

Los intereses periodísticos de cada redactor producen enfoques distintos y los llevan a escribir de una manera determinada, lo que se verá más adelante; pero también se puede caer en la trampa de tratar de ajustar su realidad a otra muy diferente.

Para un periodista mexicano, 3000 personas en un acto electoral del presidente George Bush en un pequeño pueblo de Ohio durante la campaña presidencial de 2004 pudiera parecer un fracaso, pero si lo escribiera de esa manera estaría engañando a sus lectores, pues esa cantidad de gente no es un número inusual para ese tipo de actos políticos en Estados Unidos. O por el contrario, si un periodista mexicano observa que en Madrid hay indiferencia por la estancia del presidente de México, no hay tumultos ni gente apostada en la calle esperando verlo y los periódicos no despliegan a ocho columnas la información relativa a la visita, tampoco significa que no sea un viaje importante. Si sustentara ese argumento sobre tales bases, el periodista estaría falseando la realidad, pues no tomaría en cuenta que lo que atestiguó no es la excepción sino la regla dada la cultura española en cuanto a los políticos y las diferentes formas de quehacer periodístico.

La primera impresión que tiene un periodista sobre un acontecimiento no necesariamente es correcta. Cada dato, cada expresión tiene que ser verificada con las fuentes de información para evitar malas interpretaciones e imprecisiones.

Hay que buscar la mayor precisión posible en la presentación de un acontecimiento, porque la ambigüedad nunca dará solidez a la información.

William L. Rivers sostiene que porque rara vez recordamos figuras exactas, nos hemos acostumbrado a usar palabras generales

36

como *pocos, algunos* y *muchos,* y algunas veces porque no hay forma de conocer las cifras verdaderas.[32] Pero redactar debe ser tan preciso como sea posible, pues lo que se quiere decir con una palabra vaga, rara vez es lo que los lectores infieren.

El mismo Rivers elaboró un cuestionario que entregó a 65 universitarios para demostrar su argumento,[33] y efectivamente fue revelador. Entre las preguntas hechas se encuentran las siguientes, con sus respectivas respuestas:

---

1. "El senador fue electo por una abrumadora mayoría"

¿Qué porcentaje de votos recibió?

Lo más bajo: 54%.
Lo más alto: 75%.

2. "El tío Ned es un fumador moderado"

¿Cuántos cigarros fuma al día?

Lo menos: medio paquete.
Lo más: cajetilla y media.

3. "Leí varios libros el verano pasado"

¿Cuántos libros leí?

Lo menos: dos.
Lo más: trece.

Suele decirse que la redacción periodística debe ser idéntica a la forma como se habla. Falso: no solo en la estructura, sino en la selección de palabras y el orden de las frases, difiere sustancialmente. Sin embargo, en toda redacción se deben usar palabras que sean fácilmente entendidas y comprendidas, y escapar de aquellas extravagantes, vulgares o que se encuentran fuera del vocabulario cotidiano. Sin llegar a ser coloquial, la redacción debe ser informal y relajada, y de ninguna manera caprichosa.[34] Nadie ha nombrado a los periodistas como los guardianes del lenguaje, pero el sentido de autopreservación, como lo ha dicho Cappon, debe "llevarnos a combatir las imbecilidades" en los textos.[35] George Orwell, un autor que trascendió generaciones y que como periodista se distinguió en la cobertura de la Guerra Civil española, escribió: "Si simplificara su inglés [nosotros diríamos 'su español'] se vería libre de las peores locuras de la ortodoxia [...] y cuando haga un comentario estúpido, su estupidez será obvia incluso para usted".[36]

Los periodistas están obligados a traducir el nuevo lenguaje burocrático, el científico, el técnico, el deportivo y a veces hasta el coloquial para llevarlo a uno asequible para todos los lectores, pues de otra forma estarán expulsándolos de sus textos. Cuando el Pentágono informó, en octubre de 1983, que se había dado sobre Granada una "inserción vertical al amanecer", lo que realmente quiso decir fue que paracaidistas habían sido lanzados al amanecer, y cuando el mismo Pentágono consignó las bajas por "fuego amigo" durante la guerra del Golfo Pérsico, lo que en realidad decía era que por errores y equivocaciones entre sus fuerzas se había matado a soldados del ejército propio. Cuando el presidente Miguel de la Madrid habló de edificios "colapsados" por el terremoto de 1985, lo que en realidad quería decir era que los edificios se habían caído. Frases de reciente cuño pueden ahondar más la confusión, como cuando se dice que "el peso se puso a flotar" para no emplear la palabra *devaluación*, que siempre tiene un impacto negativo en cualquier población, o los "módulos aleatorios" con los que la Secretaría de Hacienda define un sistema de semáforos para turistas en las garitas aduanales.

Los periodistas deben estar siempre actualizados en conceptos y en el lenguaje para poder transmitir de la manera más sencilla los términos que son nuevos en la opinión pública. "Fuego amigo", acuñado por el Pentágono durante la primera Guerra del Golfo en 1991, tuvo que ser explicado repetidamente para convertirse, al paso de los años, en un término coloquial. "Daño colateral", otro término bélico que causó mucha polémica durante el gobierno de Felipe Calderón por explicar de esa forma cuantitativa las muertes de personas inocentes que quedaron atrapadas en combates contra los cárteles de las drogas, nunca terminó de asimilarse en su sexenio ante la insensibilidad del gobierno al presentar ese tipo de lenguaje ante una sociedad que no había vivido guerras, por lo que se sintió agraviada, mientras que los medios, enfrentados ideológicamente con el gobierno, tampoco contribuyeron a la mejor comprensión del vocablo. Hay otras expresiones que ni siquiera han llegado al lenguaje de los medios convencionales, como "partículas de vida corta", la que un periodista que no busque su definición podrá llegar a clasificar como un tema de medio ambiente, pero no podrá explicar que son partículas de carbono negro (hollín) que absorben mucho menos luz solar de lo predicho, por lo cual tienen un impacto en el calentamiento de la Tierra que no había sido previsto.

Redactar para el mayor número de lectores y no para una élite debe ser prioridad del periodista. Ya no es suficiente con recopilar la información, sino que la gente la lea. En países como Estados Unidos, solo seis de cada 10 adultos leen periódicos. Una encuesta entre los lectores de *The New York Times* en 1991 reveló que solo dedican 30 minutos diarios a la lectura del diario.[37] Pese a no existir encuestas entre lectores de la prensa mexicana, la baja circulación de los diarios permite suponer que la proporción en México es menor. Un estudio limitado a los lectores de *Milenio* cuando el periódico apareció en 2000 demostró que el promedio de lectura era de 45 minutos, lo que lo hacía difícil de consumir, por lo que se tuvieron que hacer ajustes en la extensión de sus contenidos y diversificación de géneros para reducir el tiempo a 25 minutos como promedio. Escribir "amigablemente", como se le define en círculos editoriales a un nuevo concepto de redacción, es indispensable. "Usted debe escribir para los lectores, no a ellos, en un lenguaje entonado a sus vidas y experiencias cotidianas", escribió Cappon.[38] Él mismo sugiere que todo aquel que redacte noticias debe hacerse tres preguntas básicas antes de entregar su texto final:

- ¿He dicho lo que quise decir?
- ¿Lo he escrito de la manera más concisa?
- ¿He puesto las cosas tan simples como fue posible?

Como escribieron William Strunk y E. B. White en *Los elementos del estilo:*

Una redacción vigorosa es concisa. Una frase no debe contener palabras innecesarias y un párrafo no debe tener frases innecesarias, por la misma razón que una pintura no debe tener trazos innecesarios y una máquina no debe tener partes innecesarias. Esto no significa que quien escribe acorte todas sus frases, o que omita todo detalle, o que trate superficialmente el tema, sino que cada palabra diga algo.

El periodista es una persona de hábitos: hábito de leer, hábito de escribir, hábito de observar serían los más comunes pero no los únicos, ni deben ser los únicos en los cuales descanse un periodista que busque mejorar su redacción. Hay otros de todos conocidos en el subconsciente, pero no tan asimilados aún por el consciente.

Uno de los hábitos más importantes para el periodista es estar siempre alerta y observar.

Yo nunca me aburro porque constantemente observo mi mundo, captando con cada ángulo de mis ojos el detalle revelador, escuchando lo que no se ha dicho, entrando en la piel de otros —escribió Murray—; miro por la ventana hacia los bosques nevados iluminados por la luna mientras los árboles parecen separarse, y ya tengo un poema. Escucho lo que alguien comenta al visitar una sala de enfermos, y ya tengo una columna. Recuerdo mi niñez al servirme un plato de puré de papa, y tengo un artículo para la sección de comidas. Escucho el *Concierto para piano no. 16* de Mozart en FM, y lo vuelvo a escuchar cuando me encuentro en terapia intensiva, y ya tengo otra columna.[39]

Pero hay que ser muy cuidadosos, porque no es lo mismo mirar que observar. Uno de los experimentos más contundentes que prueban ese axioma lo proporcionó Walter Lippmann al recordar un congreso de psicología en Gotinga:

No lejos del salón de congresos, había una fiesta pública de disfraces. De repente, la puerta del salón se abrió y, revólver en mano, entró un payaso en frenética persecución de un negro. Se detuvieron a pelear a la mitad del salón; el payaso se cayó y el negro se le abalanzó, le disparó y entonces los dos corrieron fuera del salón. El incidente apenas duró unos veinte segundos.

El presidente les pidió a todos que escribieran inmediatamente un reporte, pues seguramente habría una investigación judicial. Le enviaron 40 reportes. Solo uno tenía menos de 20% de errores con respecto a los principales hechos; 14 tenían de 20 a 40% de errores; 12, de 40 a 50%; 13, más de 50%. Más aún, en 24 reportes se registró 10% de puras invenciones, y esta proporción fue excedida en 10 reportes y disminuida en seis. En síntesis, una cuarta parte de los reportes eran falsos.

Si no se hubiera dicho que todo el incidente había sido preparado y fotografiado, los 10 reportes falsos hubieran sido relegados a la categoría de cuentos y leyendas; 24 reportes hubieran sido medio leyendas; y seis hubieran tenido un valor aproximado a la evidencia exacta.[40]

No todas las observaciones se escriben en la libreta de notas, o como ahora algunos lo hacen, en sus móviles o tabletas. Pero todas quedan registradas en la memoria, como los sentimientos y los pensamientos, que juntos conforman lo que generalmente se conoce como "experiencia".

Un periodista no se da cuenta de lo que ha asimilado hasta que, en un momento determinado, mientras transmite sus ideas a las manos, va apareciendo un inventario de datos, puntos de referencia, de conocimiento en suma, que le dan cuerpo y sustancia a un texto.

Otro hábito debe ser valorar la reacción que uno tiene sobre el acontecimiento del que va a escribir. Las reacciones ante un hecho pueden cambiar sustancialmente entre uno y otro periodista. Existen resortes que estimulan los sentimientos de diferente manera; hay informaciones que tienen un impacto distinto sobre las personas, en función de su educación, cultura, sus experiencias y entorno. Todos reaccionan, pero el cómo es diferente.

Hay que recordar lo que Walter Lippmann solía decir:

> Ciertamente, en la mayoría de las veces, la manera como vemos las cosas es una combinación de lo que está ahí y de lo que esperamos encontrar.
>
> Los cielos no son lo mismo para un astrónomo que para una pareja de enamorados; una página de Kant iniciará una corriente de pensamiento diferente entre un kantiano y un empírico radical; la belleza tahitiana será mejor vista por los tahitianos que por los lectores de la revista *National Geographic*.[41]

La forma como se reacciona ante los acontecimientos lleva también a la selección de los diferentes temas y a su tratamiento. Sobre un mismo suceso, el tratamiento puede ser cosmético y superficial, o profundo y analítico. De la manera como uno reacciona ante un hecho depende invariablemente el enfoque y la relevancia que se le dará al mismo. El impacto ante el lector también será diferente, y este podrá juzgar quién redactó un tema, quién lo exploró mejor y quién ocultó premeditadamente o desperdició una información.

Dos ejemplos claros los tuvimos en la prensa mexicana en marzo de 2005, cuando *La Jornada* y *La Crónica de Hoy* reprodujeron las declaraciones de Yeidckol Polevnsky, en ese momento candidata del PRD al gobierno del Estado de México, sobre su verdadero nombre, tema que había permanecido en la cumbre de la polémica por más de dos semanas por lo que se percibía como un problema de inmoralidad política y abría la posibilidad de un delito por utilización ilegal de un nombre durante varios años.

La Jornada, abiertamente perredista y vinculada estrechamente con el entonces jefe de gobierno del Distrito Federal, Andrés Manuel López Obrador, quien había apoyado la candidatura de la señora Polevnsky, publicó un texto que señalaba en sus tres primeros párrafos:

De pie frente al espejo, Yeidckol Polevnsky Gurwitz refleja a la otra Yeidckol y se impone la alusión a la novela de José Saramago, aunque en este caso es la mujer duplicada. Ella misma ríe de la anécdota y de su pasado. "No voy hablar del discurso feminista... Yo soy ese discurso en carne viva", establece con un brinco en la memoria.

En la *suite* de un hotel de Reforma, Polevnsky recién había concurrido ante los medios de comunicación para contar su tragedia personal. "¿Y quién defiende a las miles de mujeres que viven la misma condición de la violencia intrafamiliar? Nadie —responde— porque no es rentable políticamente."

Apenas había despedido a su familia, que la acompañó en las entrevistas en las que se hilvanaron una tras otra las revelaciones de su historia familiar. En su definición de la circunstancia por la que ella atravesó hace muchos años —que padecen miles de mujeres en el país—, Polevnsky enmarca el tema en el contexto sociológico: "Tiene que ver con una situación generada de condiciones de vida esencialmente marginal, aunque no en todos los casos. La sociedad tiene que sensibilizarse para que quienes sufren no sean estigmatizadas".

A lo largo de todo el texto, de una página, el reportero nunca registró las mentiras en las que incurrió Polevnsky en su carrera profesional, ni aportó los antecedentes para entender la razón de esa conversación. Quien no tenga el contexto, o lea esa plática pasado un tiempo, nunca entenderá qué fue lo que la motivó, y solo observará un documento enfocado a la parte humana, a la víctima entre muchas víctimas que salió a la luz a contar su historia.

La Crónica de Hoy, militantemente antiperredista, reprodujo de un despacho de la agencia Notimex:

"Mi nombre es Yeidckol Polevnsky, no violé ninguna ley mexicana, soy nacionalista y amo a mi patria. El cambio de mi nombre anterior al actual fue decidido por mi madre para protegerme de estigmas sociales", aclaró la candidata del PRD a la gubernatura del Estado de México.

En conferencia de prensa, la empresaria destacó que previó informar de toda esta situación a la opinión pública en el momento de entregar su documentación ante el Instituto Electoral cuando solicitara el registro como candidata, "pero se me adelantaron".

La Crónica de Hoy optó por dar un tratamiento objetivo al tema, sin alarmismos pero enfocando las palabras de la señora Polevnsky en el contexto legal que implicaban las mentiras sobre su nombre real. No recargaron de antiperredismo la información, pero no ocultaron. *La Jornada,* en cambio, borró el contexto político y presentó un acontecimiento importante para las elecciones mexiquenses y presidenciales en 2006 únicamente en el marco de la violencia intrafamiliar; es decir, transformó un asunto político en una historia de interés humano.

Entre los aspectos más prácticos de la redacción se encuentra el de la revisión. Un periodista está generalmente presionado por la hora del cierre y por su velocidad para escribir; casi de manera natural, esa rapidez conduce fácilmente por los senderos de la confusión al momento de plasmar ideas. Pese a la prisa, nunca será demasiado tarde para que, al terminar de redactar, se respire un momento y se lea con cuidado lo que se acaba de escribir. Un verbo o una preposición mal empleados, por ejemplo, pueden disminuir la fuerza de la redacción y, en ocasiones, hasta cambiar el significado de la frase. Roberto Rock, director editorial del periódico *El Universal,* circuló en el otoño de 2004 un memorando a la redacción que enlistaba preguntas que uno se tendría que hacer después de redactar una información, las cuales incluían:

- ¿Ha verificado usted la gramática, la puntuación y la ortografía?
- ¿Concuerdan los sujetos con los verbos?, ¿concuerda el tiempo de los verbos?
- ¿Es claro el elemento del tiempo? ¿Sabe el lector cuándo sucedieron las cosas? Recuerde que la cronología es un buen método de organización.

- ¿Son correctos los datos y los hechos históricos?
- ¿Ha cambiado las frases desproporcionadas, reducido las frases gigantes, recortado los párrafos largos, eliminando la reiteración y la redundancia, y descartando las frases gastadas?
- ¿Ha verificado ese nombre raro en el directorio de la ciudad, el directorio telefónico o la librería?
- ¿Ha evitado el vocabulario especializado? ¿Ha eliminado las palabras o frases extranjeras, las abreviaciones y los términos técnicos que no se han explicado?
- ¿Los números son correctos? ¿Ha verificado dos veces cualquier cálculo matemático, incluyendo los porcentajes, para asegurarse de que estén correctos?
- ¿Ha rechazado la tentación de establecer récords por elaborar el reportaje más grande, el mejor, el más extenso y el más corto? Recuerde que siempre habrá alguien mejor.
- ¿Ha corregido la gramática de una cita, a menos que exista una razón para usarla sin respetar la gramática?
- ¿Hay suficientes antecedentes para el lector que no leyó la última información sobre el tema?

La revisión final permite hacer correcciones en el propio ordenamiento de las ideas, pulir la redacción para hacerla más precisa y directa, así como para comprobar si efectivamente el enfoque dado, el tratamiento, el balance y el ritmo del texto son adecuados.

Ritmo es otro hábito que debe adquirir el periodista. El tono en una información tiene gran importancia para mantener al lector agarrado al texto: determina finalmente si el lector está complacido o no con lo que lee. La estructura de la frase tiene que ver mucho con ello, pero el tono es generado por la selección de las palabras. Estas, si son simples, cortas y familiares, producen un tono distintivo, mientras que las palabras gastadas o incluso cursis, producen otro.[42] Muchas palabras tienen su propio ritmo interior, y es muy fácil romperlo si no se redacta con cuidado.

Una de las principales fallas en el periodismo mexicano está en el uso incorrecto de sinónimos, pensando quizá que con ello se dará más frescura al texto y se romperá la monotonía; por lo general, lo que se rompe es el sentido común. Los periodistas rehúyen a escribir que un presidente se entrevistó con otro presidente, y prefieren escribir que un presidente se entrevistó con "su homólogo". O cuando alguien se arrodilla, no lo escriben así, sino que prefieren redactar que alguien "se puso de hinojos". ¿Cómo se escucha: "El presidente Vicente Fox saludó a Jacques Chirac y le dijo: 'Bienvenido a México, homólogo'", o "el sacerdote pidió a los fieles: 'Pónganse de hinojos'"? Cierto, suena ridículo. Si así se escribe, así también se percibe. Hay que huir de esa selección de palabras, que rompen por completo la sintonía de un texto.

Escribir bien lleva tiempo, dedicación y mucha lectura, necesaria para aumentar el vocabulario. El "tumbaburros", como llamaba Manuel Buendía al diccionario, debe ser la herramienta inseparable de todo periodista. El periodista y escritor chiapaneco Marco Aurelio Carballo solía leer diariamente una página del diccionario para tratar de memorizar el mayor número posible de palabras en el poco tiempo que le quedaba libre cuando era jefe de Información de *Unomásuno*. Esto, claro, no es suficiente.

Para escribir periodísticamente, son necesarios:

1. Precisión
   • Cada dato debe ser verificado.
   • Nombres, títulos, edades, horas, deben ser exactos.

2. Honestidad
   • La entrada no debe engañar.
   • Si hay datos en el texto que se contraponen, hay que balancear.

3. Brevedad
   • Dos ideas como máximo por párrafo.
   • Un máximo de tres líneas por párrafo.

4. Satisfacción
- Alejarse de la declaración y la retórica.
- El hecho es lo relevante.
- El detalle enriquece.
- La información debe ser significativa.

5. Contexto
- El lector tiene que entender cómo se relaciona la información, por qué sucede y cuáles son sus consecuencias.
- Hay que señalar si lo que se informa es un hecho aislado o si forma parte de una tendencia o patrón.
- Siempre debe haber un párrafo de contexto por cada cuatro de explicación.

6. Energía
- Es el motor que hace avanzar los párrafos: los verbos.
- Escriba los más simples, los más activos y los más apropiados al significado y la voz de la información.

7. Explicar al lector
- No escribimos para iniciados, sino para un público universal.
- Hay que explicar y ser claro.

8. Conversar con el lector
- Los datos y los detalles son importantes, pero no exagerar.
- La saturación desinforma, no informa.

9. Citas textuales
- Las citas deben ser completas y guardar la intención y el significado de quien las dice.
- Se usan para reforzar un párrafo, aportando datos o explicación.
- No se abusa de ellas, pues cansan y anulan el propósito buscado.
- Recuerde: también sirven para oxigenar la información.

10. Fuentes anónimas
- Solo se usan aquellas que tengan representatividad.
- Nunca emiten un juicio de valor o denuncias.
- Solo se usan las que aportan información o explicación.

"En la ficción como en la vida", ha escrito la autora F. A. Rockwell, "las primeras impresiones son las más fuertes". Habría que insistir en que ya no basta tener toda la información, sino que lo importante es que se lea. O como le dice un consultor de administradores a sus agentes de ventas: "Si no encuentran petróleo en dos minutos, ya no se molesten".

PRIMERO, EL COMIENZO

Escribir, confió una vez Carlos Monsiváis, es sencillo: "Solo hay que poner en su lugar al sujeto, al verbo y al predicado". Escribir —se podría interpretar a Rudyard Kipling un siglo antes— requiere de una técnica fácil que aporte a un lector todo lo que necesita. Él mismo escribió: "Yo tengo seis hombres honestos y serviciales; me han enseñado todo lo que sé; sus nombres son: Qué, Por qué, Cuándo, Cómo, Dónde y Quién".

Kipling, de hecho, había sentado las bases para una técnica de redacción que a la postre influiría enormemente en la prensa moderna que, por décadas, ha buscado con afán cómo mejorar sus mensajes. Escribir sencillo y claro es lo más difícil para un periodista: ello construye las grandes firmas o deja perdidos en el mar de los muchos a talentos periodísticos que no lograron pulir y hacer brillar su redacción.

Nada en la vida transcurre con impunidad. En el periodismo tampoco, y en la redacción periodística, menos. Los distintos retos y los nuevos desafíos han provocado la evolución de la forma como se escribe en los periódicos. Demanda y competencia marcan los límites para el cambio y los ciclos de las transformaciones.

Los lectores de *The New York Times* en 1864, por ejemplo, tuvieron que leer cuatro columnas de palabras para enterarse de que Abraham Lincoln había sido nominado de nueva cuenta para la presidencia.

Treinta y dos años después, el mismo periódico comenzaba así su información sobre la convención republicana: "William Mc-Kinley, de Ohio, fue nominado como candidato del Partido Republicano para la presidencia y Garret A. Hobart resultó nominado para la vicepresidencia".[43] La claridad y rapidez para señalar lo relevante daba así sus primeros pasos dentro del periodismo moderno y comenzaba el camino que aún no termina.

En el ocaso del siglo XIX acabaron también los viejos criterios de redactar farragosamente, poco claro, sin comenzar siempre con lo más importante y por lo general esconder lo que más interesaba a los lectores; era un estilo —una forma de ser— que cambiaba junto con la sociedad. Para entonces, Melville E. Stone, que dirigía la Associated Press, comenzó a desarrollar la idea de que una buena entrada debía llevar las interrogantes que Kipling había previamente inmortalizado. Al poco tiempo, escribir una buena entrada era responder a las preguntas *qué, quién, cómo, cuándo, dónde* y *por qué*.[44] Una nueva forma de redacción periodística comenzó a ensayarse y a popularizarse en el mundo.

Ya se escribía ese tipo de entradas completas que respondían a todas las interrogantes, precursoras de las actuales. El problema, se veía años después, es que eran demasiado largas, y en ocasiones complicadas. Un ejemplo lo proporciona un cable de la misma Associated Press:[45]

Dos hombres, Joseph E. Hastings, de 24 años, que vive en Boulevard Woodhue 1119, en Centerdale, y Dominic Tucci, de edad desconocida, de Elvira, Nueva York, murieron hoy a las 4:30 de la mañana en la calle Cuarta y la avenida Skystone, cuando explotó una llanta del auto de Hastings y al volcarse cayó sobre ellos.

Indiscutiblemente, esa entrada respondía las seis preguntas:

¿Quién? Hastings y Tucci.

¿Qué? Dos hombres muertos en un accidente.

¿Cuándo? Hoy a las 4:30 de la mañana.

¿Dónde? En la calle Cuarta y la avenida Skystone.

¿Por qué? Una voladura de llanta.

¿Cómo? El carro se volcó sobre sus ocupantes.

El papel de la radio durante la Segunda Guerra Mundial demostró el agotamiento de ese método.

Mientras que ese tipo de entrada de 56 palabras se llevaba 10 líneas tipográficas en un periódico e incluía 18 hechos noticiosos sin subrayar ninguno en particular, la radio podía decir lo mismo en menos tiempo y espacio: "Dos hombres resultaron muertos en un accidente automovilístico ocurrido hoy en el centro de Centerdale".

Es decir, la misma información en 15 palabras y cinco hechos. El método purista de las seis preguntas veía su ocaso.[46] Para buscar cómo estar más cerca de sus lectores, la Associated Press contrató al doctor Rudolf Flesch para que analizara la prosa y el estilo de la agencia. La United Press hizo lo mismo con Robert Gunning.

Incluso, diversos periódicos contrataron investigadores y analistas para encontrar nuevas formas de redactar y llegar al público. En 1954, un memorando que apareció pegado en las paredes de la redacción de *The New York Times* decía: "Sentimos que ya no es necesario, y quizá nunca lo fue, incluir en una sola frase o un solo párrafo todas las [preguntas] tradicionales".

En 1950, Flesch recomendó a la Associated Press reducir sus largos párrafos habituales a un máximo de 19 palabras, lo que fue instrumentado de inmediato. Medio siglo antes, la iniciativa de esta agencia también había servido como ejemplo para otros medios impresos.

Las nuevas formas de redactar en el mundo, lamentablemente, no han llegado a México. Es más, la influencia universal de las seis interrogantes fue aleatoria en el periodismo mexicano y quedó restringida fundamentalmente a los salones de clase. Hoy día, lejos de haberse adoptado una técnica de redacción en los medios, continúan empantanándose en largos párrafos e ideas confusas, mezcla segura para dejar de leer.

Una pequeña prueba de ello la dieron dos periódicos mexicanos el 26 de diciembre de 1991, cuando presentaron como información principal la renuncia del líder soviético Mijaíl Gorbachov y la entrega del poder al dirigente ruso Boris Yeltsin. La manera como expusieron la información fue la siguiente:

El Universal:

> *Moscú.* El presidente de la ex Unión Soviética, Mijaíl Gorbachov, renunció este miércoles a su cargo y dijo: "Hoy pongo fin a mis funciones como presidente de la URSS". Seguidamente repasó la obra histórica cumplida y señaló claramente que debido a la situación creada por la formación de la Comunidad de Estados Independientes (CEI), "abandono la presidencia de la Unión Soviética".

Excélsior:

> *Moscú.* El presidente Mijaíl Gorbachov renunció hoy al cargo "debido a la situación creada con la constitución de la nueva Comunidad de Estados Independientes (CEI)", subrayando que no podía "aprobar la fragmentación del país", y firmó un decreto por el que cede el control del "botón nuclear" a Boris Yeltsin, el líder de la Federación Rusa, que remplaza ya a la ex Unión Soviética ante la Organización de Naciones Unidas (ONU).

Si se sometieran a un examen de redacción, las dos entradas reprobarían sin duda alguna, no solo por lo extenso y poco claro del párrafo sino por lo confuso de sus ideas y la omisión del elemento más importante de esa noticia.

En el caso de *El Universal,* los redactores de la información incorporaron cuatro elementos en su entrada, que lejos de aportar datos adicionales y de contextualizar, son reiterativos:

1. "El presidente de la ex Unión Soviética, Mijaíl Gorbachov, renunció este miércoles a su cargo..." Con esta entrada hubiera bastado para dar al lector casi toda la información que necesita, directa y precisa: esa era la noticia principal. Pero lejos de entenderla así, el redactor se decidió por la forma barroca.
2. "...y dijo: 'Hoy pongo fin a mis funciones como presidente de la URSS'..." La cita es irrelevante en el cuerpo general de la información, y bien pudo haber desaparecido del texto, salvo que en algún momento se hubiera querido dejar el registro de la cita textual de la renuncia.
3. "Seguidamente repasó la obra histórica cumplida..." Esta frase es igualmente intrascendente para la entrada y debería de haberse dejado para el cuerpo de la información. Eliminarla de la entrada no quita absolutamente nada de la esencia de la información, mientras que al incluirla introduce elementos superfluos para el primer párrafo.
4. "...y señaló claramente que debido a la situación creada por la formación de la Comunidad de Estados Independientes (CEI), 'abandono la presidencia de la Unión Soviética'". Las razones de la renuncia son un elemento vital en la explicación de la primera frase, y debía haberse juntado con el primer ingrediente noticioso del párrafo. Pero lejos de unir ambos elementos en el momento adecuado, el redactor los relaciona con otra cita (el "abandono la presidencia de la Unión Soviética"), que es reiterativa. En cambio, la entrada no menciona a quién entregó el poder, ni se refiere a quién será el que controle el armamento nuclear.

En el caso de *Excélsior,* el redactor incluye cinco elementos que en la combinación presentada aportan poca claridad y, al incluir datos que no solo están fuera de contexto, sino de lugar, crean en el lector confusión innecesaria:

1. "El presidente Mijaíl Gorbachov renunció hoy al cargo…" Los primeros elementos, el qué, el quién y el cuándo están satisfechos de manera adecuada.

2. "…debido a la situación creada con la constitución de la nueva Comunidad de Estados Independientes (CEI)…" El cuarto elemento, el por qué, está resuelto, y es la explicación de la renuncia. Hasta aquí, la redacción iba desarrollándose de manera impecable.

3. "…subrayando que no podía 'aprobar la fragmentación del país…" El redactor comenzó a resbalar en este punto. Si bien el señalamiento de "la fragmentación del país" da el contexto adecuado al porqué de la renuncia, la manera como está escrito empieza la debacle de la entrada.

4. "…y firmó un decreto por el que cede el control del 'botón nuclear' a Boris Yeltsin, el líder de la Federación Rusa…" Para este momento, el redactor se encuentra perdido. Aporta el elemento importante, aunque no para el primer párrafo, de que el control de los armamentos nucleares pasa a Yeltsin, pero cabe la pregunta: ¿por qué a Yeltsin? El redactor olvidó mencionar en el primer párrafo el ingrediente central de a quién transfería el poder Gorbachov, y dio por sentado que el lector lo sabría.

5. "…que remplaza ya a la ex Unión Soviética ante la Organización de Naciones Unidas (ONU)". En el colmo del galimatías, el redactor incorpora un elemento que no tiene razón de estar en el primer párrafo. ¿A quién le importa tal dato en ese sitio, sobre todo cuando era una pieza informativa vieja? ¿Qué aporta a la renuncia de Gorbachov? ¿Cuál es la relación con el incidente noticioso? En este párrafo, el redactor no supo jerarquizar y demostró miedo a dejar fuera de la entrada un elemento importante de la información, provocando así la confusión final.

Un caso diametralmente opuesto lo proporcionó un periódico ya extinto, *El Heraldo de México,* al publicar la misma información de la siguiente forma:

Moscú. Mijaíl S. Gorbachov, el octavo y último dirigente de la Unión de Repúblicas Soviéticas Socialistas, renunció este miércoles al puesto de presidente y transfirió el poder al líder de la Federación Rusa, Boris Yeltsin.

Noticiosa y técnicamente, la entrada es perfecta. El principal elemento está resuelto (la renuncia), al igual que el segundo elemento en importancia (a quién se transfiere el poder). Con una redacción clara y directa, el redactor añadió un ingrediente de contextualización que aporta la profundidad y la magnitud del acontecimiento ("el octavo y último dirigente soviético"). La entrada no tiene desperdicio e invita al lector a seguir leyendo el texto.

Como se expuso previamente, no basta con tener la información, sino es importante que se lea, y para ello es necesario saber manejar las reglas básicas de la redacción. Más allá de los diferentes estilos y escuelas, un marco general en la redacción periodística nunca es despreciable. Todo periodista serio y honesto para con sus lectores y consigo mismo debe presentar la información de la manera más justa y balanceada posible, sin pretender inducir a sus lectores a pensar en determinada dirección, sino proporcionándoles los elementos para que sean ellos, y solo ellos, quienes formen su propia opinión. Es un insulto a la inteligencia del lector decirle cómo pensar, y aquellos medios que generalmente incurren en esa falla rápidamente son clasificados como militantes. Cuando un medio o un periodista entra en esa categoría, pierde credibilidad ante la mayoría de sus lectores e interlocutores.

La información no debe ser, de ninguna manera, adjetivizada o influida con opiniones, sino sustantiva.

Tampoco pretende reportar día tras día una verdad absoluta, que nadie tiene, sino meramente registrar los hechos cotidianos que van marcando el ritmo de una sociedad y conformando su vida. El valor de la información radica en la importancia y contundencia de la misma, no en los superlativos ni en las deformaciones onomatopéyicas con las que pueda aderezarse.

No hay una receta sobre cómo escribir noticias, que es el género más utilizado en los periódicos y el más desaprovechado en cuanto a redacción, pero sí hay lineamientos generales que ayudan a los periodistas a redactarlas de la mejor manera posible.

Ciertamente habrá entradas diferentes, en función del estilo y la información, pero el marco base, la columna vertebral, siempre será la misma en prensa, radio y televisión: informar tan rápido, preciso y claro como sea posible.

El problema hoy en día es aún más grave ante la irrupción de las redes sociales y los dispositivos móviles, que están modificando estructuras y sintaxis. La restricción de los 140 caracteres de Twitter ha mostrado en los periodistas sus deficiencias técnicas, al ser incapaces de producir una noticia sólida con esa extensión. Por ejemplo:

El abogado Diego Fernández de Cevallos, ex senador del PAN, fue secuestrado hoy al llegar a su rancho en Querétaro.

Esta información incorpora el qué (el secuestro), el quién (Fernández de Cevallos), el cuándo (hoy) y el dónde (su rancho en Querétaro), que son las cuatro preguntas que invariablemente se tienen que responder en el primer párrafo de una noticia, en tan solo 116 caracteres. Esto significa que solo aquellos que no aprendieron las reglas básicas de la redacción tendrán problemas, en los viejos medios y en los nuevos, para escribir en forma periodísticamente aceptable.

Sobre la forma

1. La redacción debe ser sencilla, clara y precisa. Siempre es importante considerar que no escribimos para un público sofisticado.

No debemos tener una redacción elitista, se necesita que los textos sean comprendidos fácilmente por el mayor número de lectores.

Un redactor que no tiene en consideración este punto es quien escribió la siguiente entrada:

> Para el año venidero, algo más de la mitad de las empresas en México consideran necesario mantener al PECE como estrategia para preservar estables las variables macroeconómicas y al mismo tiempo, dar mayor avance en la liberalización de todo el sistema económico nacional.

¿Cuántos lectores conocen el lenguaje técnico de "variables macroeconómicas estables"? ¿Qué quiere decir el redactor con "mayor avance en la liberalización de todo el sistema económico nacional"? ¿Qué nos aporta tal información? Como contenido, es una buena muestra de retórica periodística. En cuanto a precisión, ¿cómo podemos escribir una frase tan abstracta como "algo más de la mitad de las empresas en México", incluso "venidero" en lugar de próximo? ¿Qué es el PECE? ¿Son acaso siglas de conocimiento común y corriente que no tengan necesidad de explicarse?

2. Nuestras entradas deben ser directas y lo suficientemente atractivas para capturar al lector. Escribir periodísticamente es una operación de tejido cuidadoso. Por ello debemos ir enganchando los párrafos con esmero y pulcritud; si no logramos ese propósito, lo más seguro es que perdamos lectores.

¿Quién se atrevería a leer una información que arranca con una entrada como la siguiente?

> El signo definitorio para la sociedad industrial a finales de este siglo y durante las primeras décadas del venidero, es la integración —lo que traerá consigo nuevos signos políticos—; en este proceso, Europa lleva un fuerte adelanto sobre Latinoamérica, región cuyos esfuerzos de unidad se han visto frenados por los intereses económicos y políticos, donde incluso influye la relación Norte-Sur; los Estados latinoame-

ricanos —sujetos hoy a su tendencia neoliberalista—, deben reconocer su responsabilidad frente al subdesarrollo y acelerar el ritmo de las reformas agrarias, urbanas y tributarias que dinamicen la justicia social, para dar la ocupación y subsistencia a poco más de 50% de la población latinoamericana, sumida hoy en la desocupación o la marginación social.

3. El peso de nuestra información no recae en la declaración, sino en los hechos. Es decir, la importancia de una nota se da por el peso del acontecimiento, no por la posición del declarante (véase el capítulo "Fuentes de información"). Una tendencia negativa en la prensa mexicana es privilegiar al declarante sobre el hecho noticioso; no son pocas las veces que es más importante la retórica inflamatoria que la información en sí misma. Muy pocas ocasiones el declarante es más importante que la propia noticia, pero aun en esos casos, el peso recae sobre el hecho.

4. La entrada debe responder a cuatro de las seis preguntas básicas que conforman la entrada ideal: *qué, quién, cuándo* y *dónde*; la quinta y la sexta, el *porqué* y el *cómo*, pueden abordarse en el segundo párrafo, pero nunca omitirse. Los principales elementos noticiosos son básicos en el arranque de toda información, y un dato es vital en cada párrafo en cualquier género periodístico.

El siguiente ejemplo nos permitirá observar cómo no hay que escribir una información:

Al hacer el análisis anual de la diplomacia que promueve México en los organismos internacionales, la Secretaría de Relaciones Exteriores informó que nuestro país está presente, con iniciativas propias y constructivas, en los foros en que se debaten asuntos vitales para el destino de la humanidad.

La mayoría de las preguntas que se deben incluir en la entrada quedan sin resolver. Quien escribió esa información respondió el qué (la promoción de la diplomacia) y el quién (la Secretaría de Relaciones Exteriores), pero dejó sin contestar las otras cuatro: el cuándo, el dónde, el cómo y el por qué. El lector, naturalmente, fue invitado a cambiar de página.

Vale la pena insistir en que si bien todas las preguntas deben ser respondidas para dar al lector la información fundamental de cualquier acontecimiento en los dos primeros párrafos, hallar los porqués de las cosas hará de nuestra información no solo un texto sólido, sino completo y satisfactorio para el lector más exigente. El porqué de las cosas es lo que debemos encontrar para nuestros lectores: es la respuesta que podrá satisfacer todas las dudas.

5. Ningún párrafo debe tener más de dos ideas. La razón de tal principio es la claridad y el impacto de la información que se transmitirá; hay incluso especialistas como Theodore Bernstein, ex jefe de redacción de *The New York Times*, que consideran que con una idea por párrafo es suficiente. Más de dos, incuestionablemente, producen un párrafo confuso en el mensaje, desdibujado en su efecto y farragoso en la redacción.

Véase el siguiente ejemplo:

Washington. En medio de nuevas señales de continuada anemia en la economía estadounidense, la Reserva Federal redujo la tasa de descuento a sus niveles más bajos en más de un cuarto de siglo, y añadió sustanciales reservas al sistema bancario nacional, en un nuevo y urgente esfuerzo por reactivar las finanzas nacionales.

El redactor incorporó cuatro elementos noticiosos sin otorgarle a ninguno la importancia adecuada. Un lector que no esté al corriente de las finanzas y de la economía de Estados Unidos no podrá encontrar el valor de la información.

¿Qué es lo más importante?, ¿las "nuevas señales" de anemia en la economía?, ¿la reducción de la tasa de descuento a sus niveles más bajos en 25 años?, ¿la incorporación de "sustanciales" reservas al sistema bancario nacional?, o ¿el "urgente" esfuerzo por reactivar las finanzas nacionales?

Con las ideas que maneja en su entrada podrían haberse redactado varias opciones, más directas y menos confusas. Por ejemplo:

Washington. La Reserva Federal redujo hoy la tasa de descuento a sus niveles más bajos en un cuarto de siglo a fin de añadir reservas al sistema bancario nacional y reactivar las finanzas nacionales.

Washington. A fin de estimular el consumo en la débil economía estadounidense, la Reserva Federal redujo hoy la tasa de descuento a sus niveles más bajos en 25 años.

Washington. La reducción de las tasas de descuento a sus niveles más bajos en 25 años arrojó hoy nuevas señales de anemia en la economía estadounidense.

6. Los párrafos en los medios convencionales no deben exceder las cuatro líneas o, en su defecto, 50 palabras. Cada línea de 63 caracteres, que es la extensión tipo en una redacción periodística, representa aproximadamente dos líneas en una página de periódico, o sea, un párrafo de cinco renglones equivaldría a 10 de un diario, y es muy sabido que párrafos mayores de ocho líneas resultan pesados para leer.

No se puede olvidar que el mejor antídoto para alejar de la lectura son los párrafos largos, como se puede apreciar en el ejemplo siguiente:

Inmersa en una serie de cambios de modelos de vida, de revisión de sistemas sociales, económicos, políticos, ideológicos y religiosos, y dentro de una sociedad integrada por más de nueve millones de habitantes, la Iglesia católica se prepara para desarrollar en el Distrito Federal una serie de "transformaciones de fondo", donde se pasará de una pastoral de conservación de la fe a una de carácter misionero; donde la opción preferencial por los pobres y el firme compromiso de los laicos —junto con su jerarquía— se concretará en una nueva visión evangelizadora.

Sin ninguna consideración, el periodista se extendió 94 palabras en su entrada, cuando la pudo haber reducido a 28 de haber eliminado opinión e información superflua y haberla escrito de la siguiente manera:

La Iglesia católica anticipó ayer que elaborará una nueva carta pastoral para el Distrito Federal más activa que la vigente, donde incluirá la opción preferencial por los pobres.

Como en todo, siempre hay excepciones a la regla, y la extensión de los párrafos es una de ellas. De cualquier manera, lo más recomendable es evitar los párrafos largos.

La extensión de la nota se supedita al peso específico de la información y, pese a los eternos corajes de los reporteros, al espacio dispuesto por el editor.

Una buena información siempre tendrá mejor y mayor espacio, pero sin olvidar que la brevedad y la capacidad de síntesis constituyen un valor intrínseco, en cierta forma definitorio.

7. Los tiempos de los verbos suelen confundirse en el mismo texto. Se escribe en pasado y a veces se cambia, sin fijarse, a presente: un periodista no puede tener tales descuidos. Los géneros periodísticos informativos deben emplear el tiempo pasado, aunque en algunos reportajes y entrevistas se permita la licencia de emplear el presente. El tiempo futuro debe restringirse a aquellos casos donde se trate de anuncios (que en contadas ocasiones merecen ser noticia).

Los medios impresos utilizan una gran variedad de verbos en sus informaciones, pero también con ellos hay que ser cuidadosos.

De los verbos para atribución, el mejor es "decir", con su tiempo en pasado "dijo" o "dijeron". Es corto, claro, neutral e infaliblemente certero.[47] También es un verbo que no cansa al lector, sin importar cuántas veces se emplee en el mismo texto.

Pero hay que tener cuidado. Cada verbo tiene un significado y no siempre los sinónimos reflejan lo que el reportero quiso expresar. *Decir* no es lo mismo que *declarar* ni *asegurar*, que son verbos mucho más fuertes y formales. Tampoco es lo mismo que *comentar*, que es incidental, o *revelar*, que tiene algo de misterioso. Menos se parece a *advertir*, que tiene una connotación de amenaza. Hay unos que son obsoletos, como *aseveró*, o como *reclamó* o *acusó*, cuyas connotaciones son diferentes. El verbo debe elegirse con cuidado, pues de lo contrario se puede obtener una interpretación indeseable. Por ejemplo:

> Para el año próximo, el intercambio comercial México-Estados Unidos se *disparará* hasta situarse en casi 70 000 millones de dólares, cifra que representa un alza del 17% en relación con la que se espera culminará este año.

En este caso, el verbo mal utilizado deja una impresión equívoca al lector: el uso del verbo *disparar* en este contexto tiene una connotación negativa. En economía, todo lo que lleva la palabra *disparar* sugiere algo negativo, pero en el ejemplo presentado, lejos de tener tal significado, la información es positiva; que México *eleve, aumente, incremente,* o simplemente *suba* su comercio con Estados Unidos resulta un fenómeno benéfico. En el ejemplo, el resultado final para el lector es todo lo contrario de lo que, seguramente, el reportero quiso decir.

8. Toda información debe ser *justa* y *balanceada*. Estos conceptos deben reemplazar la vieja idea de que el periodismo tiene que ser *objetivo* e *imparcial*. El periodismo sí puede ser objetivo, en el sentido de que no debe asumir posiciones ni representar intereses, pero la manera como se escribe es totalmente subjetiva. ¿Cómo se puede hablar de objetividad al escribir cuando desde el mismo momento

en que se piensa para decidir el enfoque que se dará a una información, se pierde esa objetividad?

Por eso, fundamentalmente, la información presentada a los lectores debe ser justa y balanceada; esto es, que cada texto tenga los dos lados de la moneda.

Si se escribe que la economía se encuentra en auge, de acuerdo con un informe gubernamental, es responsabilidad del reportero pedir la opinión de especialistas independientes para balancear la información y así dar los elementos necesarios al lector para que consolide su punto de vista. O si se escribe una información negativa sobre algún individuo o institución, debe incorporarse su respuesta a los alegatos en el mismo texto.

Ningún periodista se puede permitir publicar información incompleta o esperar una reacción posterior del o de los afectados. Debe darse el derecho de réplica en el mismo trabajo periodístico. Si por alguna razón no se encuentra a la persona o a los representantes de la institución para conocer sus puntos de vista, es preciso señalarlo en el texto. Por ejemplo: "X y Z no fueron localizados para que comentaran al respecto y/o respondieran a las acusaciones". Este procedimiento ayuda a proyectar ante el público a un periodista profesional, que va más allá de lo que una declaración o un boletín de prensa pueda ofrecer.

Sobre el estilo

1. Nunca se debe empezar una nota con la palabra "No", pues produce un efecto psicológico negativo en el lector. Hay que procurar la eliminación del *no* en el primer párrafo. Es decir, aunque sea negativa la información, búsquese una entrada que evite esa impresión.

En lugar de: "El Ballet Folclórico de México no actuó anoche en el Palacio de Bellas Artes por fallas en el sistema de sonido", hay que escribir: "El Ballet Folclórico de México suspendió anoche su actuación en el Palacio de Bellas Artes por fallas en el sistema de sonido".

2. Jamás debe empezarse una nota con comillas. El uso de comillas para arrancar una nota es visto como una falta de recursos de quien redacta.

De la misma forma se aprecia el abuso de palabras entrecomilladas en un mismo párrafo. Las comillas no deben servir como elemento central de la información, sino como apoyo de la misma. Por ejemplo:

> *Nairobi.* El presidente Daniel Arap Moi dio marcha atrás hoy a nueve años de credo nacional, al anunciar a los miembros del partido gobernante su decisión de permitir un régimen multipartidista en esta nación del este de África.
>
> "A partir de hoy, a todos se les permitirá registrar su partido", declaró el presidente Moi bajo el aplauso de los delegados de su partido, la Unión Nacional Africana de Kenia. "Permitamos a la oposición que compita y que busque el mandato del pueblo. No obtendrá ninguno."

3. Es recomendable evitar al máximo el uso de gerundios. Aunque su empleo es frecuente, deben eludirse en beneficio de la precisión y la contundencia informativas. No es lo mismo *estaban considerando* que *consideran* o *consideraron*. Redactar en forma pasiva no es un estilo periodístico, y hay que dejarlo para la literatura o para las debilidades epistolares.

4. Jamás se debe empezar un párrafo con una cifra. Si es un dato vital para la información, escríbase con letra. No se debe comenzar así:

> 124 camiones se dirigían...
> 11 ex repúblicas de la Unión Soviética se...

En todo caso, es preferible de esta manera:

Ciento veinticuatro camiones se dirigían…
Once ex repúblicas de la Unión Soviética se…

5. Es preciso huir a toda costa de los clichés. Muchos de ellos, como dice Rene J. Cappon, quien fuera editor general de la agencia Associated Press, "son metáforas y similares que han sido usados hasta la muerte, pero rehúsan un funeral decente".[48] Los clichés son banalidades y no hay que usarlos salvo cuando se utilizan para un significado muy preciso. Hay que huir de casos como los siguientes:

El devenir histórico ha hecho del Oriente Medio una región dividida, inmersa constantemente en conflictos bélicos.

En una jornada contra el reloj, el secretario general de las Naciones Unidas, Javier Pérez de Cuéllar, el gobierno de El Salvador y el Frente Farabundo Martí de Liberación Nacional, buscarán en las próximas 72 horas alcanzar un acuerdo que ponga fin a diez años de guerra ininterrumpida.

Tampoco deben emplearse frases célebres para aderezar una información, que lejos de mostrar cultura en el periodista, provocan al lector una sensación de melosidad que repele.

6. Hay dos formas de representar una información: a) el hecho o la declaración antes que la fuente, y b) la fuente antes que el hecho o la declaración. ¿Cuál es la correcta? Ambas lo pueden ser, pero se recomienda decidir entre lo que es más importante: si la información adquiere mayor valor por quien lo dice, se comienza por la fuente; pero si el hecho es más relevante que la fuente, esta pasa a un segundo plano.

Por mencionar un tema que nunca pierde actualidad, es más importante que el presidente diga que no se va a reformar el artículo 83 constitucional por encima del hecho mismo; pero cuando él no es la fuente original, el hecho toma el papel relevante en la presentación de la información. En cambio, cuando hay una noticia sobre un desastre, son más importantes los daños que la fuente que los cuantifica. Ejemplos:

> *Bagdad.* Un coche bomba mató a cinco civiles y a un soldado estadounidense en Irak este martes, mientras la nación se preparaba para la primera sesión de la Asamblea Nacional que fue electa en enero.

> La tormenta tropical *Hugo* azotó ayer las costas del Golfo de México y dejó un saldo de 20 muertos, 150 heridos, 5 000 damnificados, y provocó daños por 10 000 millones de pesos, informaron las autoridades.

7. Uno de los aspectos más tediosos en la redacción periodística que se practica en México se da en la ensalada de verbos usados a lo largo de una información, con el supuesto propósito de romper la monotonía. De esa manera, es común que a lo largo de los párrafos nos lleven por el *dijo, agregó, precisó, señaló, insistió, concretó, puntualizó* y *concluyó.* ¿Se rompe la monotonía? No, pero se crea una nueva. Es necesario romper esa rigidez que vana y equivocadamente se trata de ocultar con sinónimos o similares. Modificar esa redacción no tiene que ver solamente con el estilo, sino con una mayor riqueza en la redacción y calidad en el producto que se entrega al lector.

Por ello, se recomienda en primer lugar el uso de citas textuales. Como ya se indicó previamente, el empleo de las comillas debe ser un elemento de apoyo a la información; sin abusar de ellas, le dan frescura y dinamismo a un texto. Las citas pueden emplearse para explicar cifras o sustentar una afirmación. Por ejemplo:

> De acuerdo con los diputados presentes en la audiencia pública ante el Subcomité de Comercio, Protección al Consumidor y Competitividad, el Tratado de Libre Comercio implica un costo político, por lo que cada paso será cuidadosamente analizado.

"El gobierno quiere estar seguro de que su confianza está respalda-da", dijo el diputado de Maryland, Thomas McMillen. "México tiene todo por ganar con este acuerdo, pero nosotros debemos de ser cui-dadosos", añadió el diputado de Carolina del Norte, Alex McMillan.

O, por ejemplo:

Washington. Los departamentos de Comercio y de Vivienda señalaron hoy que las ventas de casas para familias se elevaron a 502 000 en sep-tiembre, cuando se había estimado caerían en 12.9%, para bajar única-mente en 4.9 por ciento.

"Sin embargo, el mercado de la vivienda, así como la economía en general, aún no recuperan el impulso que se vio al término de la Guerra del Golfo Pérsico", dijo John A. Tuccillo, un economista de la Asociación Nacional de Bienes Raíces.

Otra recomendación es contextualizar. Uno de los objetivos del periodista es escribir de tal forma que cualquier lector, sin tener antecedentes de determinada información, entienda su importan-cia y el marco en el que se desarrolla.

La contextualización no solo aporta el marco de referencia, sino que otorga el verdadero valor a la información. Siempre que se es-cribe una nota periodística es importante incluir un párrafo, breve de preferencia, donde se explique el contexto.

Por ejemplo, sería una noticia común y de importancia limi-tada señalar que el horario de entrada de clases para los niños en la ciudad de México se mantendrá a las ocho de la mañana; pero si se aclara que el día anterior las autoridades del Distrito Federal habían anunciado que la entrada sería a las nueve, se pueden mos-trar a los lectores las contradicciones y la falta de coordinación que hay dentro del gobierno, sin necesidad de opinar y solo mediante la presentación de los hechos. En un caso muy diferente, de poco serviría reportar que el frío en la ciudad de México fue de cinco grados bajo cero, si no se señala que es la temperatura más baja re-gistrada en la historia de la capital; o que hay un déficit de camarón en el mercado mexicano, sin decir que al mismo tiempo se están incrementando las exportaciones del producto.

8. Los números menores de dos dígitos se deben escribir con letra (1 es uno, 2 es dos, 3 es tres, y así sucesivamente); mayores de dos, con un número (10 es 10, 200 es 200, 3,000 es 3,000). Cifras que no lleguen al millón, se escribirán completas (400,000 es 400,000, y 900,000 es 900,000). Cuando la cifra rebase el millón, este se escribirá con letra (no es 5,000,000 sino cinco millones, ni 50,000,000 sino 50 millones).

9. No se deben abreviar cargos profesionales. Ingeniero no es Ing., como tampoco un licenciado es Lic. En lo posible, debe evitarse escribir la profesión antes del nombre, salvo en aquellos casos cuando identificar la profesión de la persona agrega valor a la información. En el caso de los cargos, un secretario de Estado nunca será un Srio. de Estado, ni un jefe de Departamento será un jefe de Depto. No economice en letras, sino en palabras.

10. El punto anterior lleva al manejo de las siglas. Nunca debe suponerse que los lectores conocen todas las siglas o los acrónimos: el deber del periodista es escribir el nombre completo de la organización y sus siglas entre paréntesis en la primera ocasión en que se refiere a ella, posteriormente se puede usar solo la sigla o el acrónimo.

Las excepciones a la regla son aquellos organismos muy conocidos, como el PRI o la CTM. En esos casos se puede ser flexible, pero no se puede permitir esa libertad en siglas de países, usadas con frecuencia en la prensa mexicana. Esto es, ni Estados Unidos es EU, ni la ex Unión Soviética es URSS.

De la precisión

1. Toda nota debe tener acreditada una fuente de información en cada párrafo, salvo cuando se trate de un marco para contextualizar (véase el capítulo "Fuentes de información"). Hay excepciones, como en el siguiente ejemplo:

Argel. Un partido que dice querer convertir a Argelia en una república islámica en el modelo de Irán, triunfó en las primeras elecciones parlamentarias celebradas aquí, al derrotar al Frente de Liberación Nacional, que ha gobernado el país desde su independencia, hace 30 años.

En este caso, el periodista sustentó su entrada en el segundo párrafo:

Funcionarios del gobierno dijeron que con virtualmente todos los votos contados, 189 de las 430 curules del Parlamento argelino, el equivalente al 44%, fueron para el movimiento fundamentalista musulmán, el Frente Islámico de Salvación.

2. No debe publicarse ninguna información que no esté verificada. El sentido común acompaña tal requisito, pero un mecanismo de control lo da buscar la información de una manera justa y balanceada. En todo caso, siempre deben confirmarse todos los datos; cuando eso no sea posible, se debe señalar.

3. La precisión nos hace más creíbles. Entonces:

a) Explique el origen de la información: entrevista, conferencia de prensa, boletín, discurso, ponencia, charla, etcétera.

b) Si se emplea un documento, hay que señalar la fecha de edición y su título. Documento del cual no tenga una copia, no lo use como información, ya que puede ser muy delicado y difícil comprobar su autenticidad en caso de que alguien reclame.

c) No mezcle documentos distintos en una misma nota. Cuando ello sea absolutamente necesario, sea muy cuidadoso para aclarar qué información pertenece a cuál documento.

d) La obsesiva escrupulosidad no es un defecto, sino una virtud. Los errores más comunes en los medios se dan al escribir nombres de personas, cargos, cantidades y distancias. Aunque se trata de errores relativamente marginales, pueden socavar la credibilidad.

4. Por razones de ética y seriedad profesional, el periodista nunca debe firmar una nota desde un lugar donde no se encuentre. Si, como sucede en muchas ocasiones, trabaja una información en un lugar y la escribe en otro, debe señalar la fecha en que la redacta. Es decir, si realizó un reportaje en Puebla la semana pasada pero lo empieza a publicar mañana, lo firmará en Puebla, pero sin la fecha. En esos casos, se debe eliminar todo lo que induzca al lector a pensar que el texto fue escrito el día anterior.

5. Jamás se deben usar calificativos en las informaciones. Una vez más, la importancia de la nota se encuentra en su contenido, no en cómo se resalta este mediante superlativos o se disfraza y tergiversa un hecho con calificativos. Una redacción potente descansa solo en los verbos y los sustantivos, pues los adjetivos nada más deben emplearse para que lo significativo quede claro.

6. Tampoco es recomendable usar interjecciones para transmitir sensaciones de asombro, sorpresa, alegría o tristeza. Si no puede expresar los sentimientos en palabras o con el manejo de los símbolos, no recurra a la salida fácil de la interjección.

LITERATURA BAJO PRESIÓN

Nada peor hay en el periodismo como la intrascendencia. Miles de periódicos y revistas nacen y mueren sin dejar huella en la memoria, pero hay otros cuyos nombres son míticos: el solo hecho de mencionarlos produce respeto. Cabezales como los de *Le Monde, The New*

York Times, Herald Tribune, London Times o *Paris-Match,* se han convertido en leyendas con el paso de los años. Forman parte de ese selecto grupo de medios que han rebasado la cotidianidad y cuyo conjunto de textos, sin que la mayoría pueda recordar uno en específico, se incluyen en el breviario periodístico transmitido por generaciones.

Son medios que no se han conformado con solo el registro de la información, sino que han ido más allá de los cánones tradicionales. James Gordon Bennett, considerado el mejor director de periódico que haya existido jamás en Estados Unidos, no escatimó recursos ni imaginación para enviar a un reportero del *Herald Tribune* a África con el fin de localizar al doctor Livingstone, a quien encontró después de ocho meses de búsqueda en ríos y selvas de ese continente. *El País* de Madrid y el *Jornal do Brasil* se beneficiaron con la osadía de sus corresponsales cuando, cerradas las fronteras de Polonia por el estado de ley marcial en 1981, rentaron una camioneta, la llenaron de comida y medicinas y, charlando sobre futbol con los guardafronteras alemanes y polacos, entraron a un país que se encontraba sellado para el mundo. El *Chicago Sun-Times* comisionó a dos reporteros —un hombre y una mujer— para que, a lo largo de casi un año, rentaran y administraran un bar y pudieran así descubrir la corrupción de las autoridades en esa ciudad. Y Walter Cronkite, una de las voces más autorizadas que hayan pasado por la televisión estadounidense, mereció que se le reservara un lugar en un transbordador espacial.

En esta misma línea argumentativa, hay un tipo de periodismo testimonial que también ha destacado por su audacia: el periodista alemán Günter Wallraff abandonó su identidad usando una peluca, lentes de contacto de color café y un espeso bigote para hacerse pasar por turco y registrar durante dos años la explotación laboral que ejercían sus compatriotas contra estos migrantes, y aceptó trabajos de minero, garrotero, chofer y obrero. El resultado de esta investigación fue *Cabeza de turco*, un libro que ha vendido más de dos millones de ejemplares en Alemania y otro tanto en traducciones a diversos idiomas.

Durante los noventa, en la primera época del periódico *Reforma*, como subdirector del departamento de investigaciones comisioné a un reportero, César Romero Jacobo, para hacer un reportaje testimonial como indocumentado. Romero viajó a San Salvador tras ser entrenado previamente como colombiano, la que sería su nacionalidad falsa por razones de seguridad, donde se engancharía con las redes de indocumentados hacia Estados Unidos. Viajó sin documentos —su pasaporte iba en una bolsa secreta en el pantalón— por Guatemala y entró ilegalmente a México, donde sufrió las peores vejaciones. Cruzó el territorio hasta Estados Unidos, de donde fue deportado una vez; lo intentó en otra con éxito y llegó a Los Ángeles, donde consiguió trabajo como repartidor del periódico *Los Angeles Times*, que era el punto final de su misión periodística. Sus reportajes sirvieron para que en aquellos años se hiciera una reforma migratoria en el Congreso mexicano.[49]

El periodismo, definitivamente, no es para gente pequeña ni para mentalidades obtusas. Dentro de lo profesional, el periodista es aventurero y osado; así tiene que ser, porque solo de esta forma se obtienen las grandes informaciones. Un requisito indispensable es pensar en grande, y quien no lo hace, pasará sin duda alguna a la fila de los mediocres.[50]

Pero no basta tener esa mentalidad, esa hambre por descubrir y escribir lo desconocido. Las noticias no son lo que ha hecho famosa a esa élite de periódicos y revistas: lo que les ha dado el toque de distinción que les garantizó el paso a la inmortalidad fueron, y son, sus reportajes.

Lo que diferencia a los medios es el tratamiento colateral que dan a las noticias. No basta con divulgar el acontecimiento, también se debe explicar su trascendencia. Los reportajes aportan contexto, origen y efecto de los mismos acontecimientos, al entregar una visión más de conjunto, a distancia, sobre un tema en particular, resaltando así su propia importancia.

No son pocas las veces en que un reportaje anticipa lo que poco después se convierte en noticia.

Considerado rey dentro de los géneros periodísticos, el reportaje debe incorporar la noticia, la entrevista, la investigación y la literatura, de tal manera que atrape al lector y lo lleve hasta el epílogo del texto. El reportaje aporta la explicación de hechos actuales que ya no son estrictamente noticia, es ocasional porque no se repite ni tiene continuidad y tiene un estilo narrativo y creativo.[51]

Es un género periodístico que permite al reportero una gran libertad en cuanto a su expresión y la mayor flexibilidad respecto al estilo. En el reportaje se examina una noticia a profundidad, se ve lo que hay detrás de todo acontecimiento, se le analiza y reflexiona sobre sus orígenes.

El reportaje es el espejo de la evolución o de la involución de una sociedad, sin las limitaciones que impone la redacción de la noticia, la crónica o el comentario. Es el género que viste y engalana a una publicación: el que le da un sello distintivo. Todos los periódicos publican noticias y entrevistas, pero no todos se aventuran en el reportaje con calidad profesional. Esa es, precisamente, la diferencia entre los periódicos ordinarios y los grandes.

Hacer un buen reportaje, sin embargo, no es sencillo. Precisa una estructura mental ordenada y una jerarquización puntual. Son importantes estos puntos, porque es tal el volumen de información que debe recopilarse para su elaboración que sin un orden mental no se podrá tener la visión global del trabajo ni su dimensión. Igualmente, sin la jerarquización, la avalancha de datos llevará al lector a la confusión y lo meterá en un hoyo del cual difícilmente podrá salir.

El reportaje, bien se ha dicho, es literatura bajo presión. Así lo llegan a definir algunos autores estadounidenses, y en gran medida se acerca a la realidad. Un texto sin estilo, sin vida, sin ritmo, pasará inadvertido al no provocar ninguna sensación; debe lograr envolver al lector por completo, del primero al último párrafo. Fácil no es, pero en la búsqueda de ese fin estará la razón de ser del reportaje.

En un reportaje, el redactor debe trasladar a los lectores al mismo lugar que está describiendo. Tiene que transmitirles los colores, los sabores y hasta los olores, como hizo aquel reportero que comenzó así su trabajo: "Luxemburgo huele a pastel". El redactor coloca en la mente del lector, de manera inmediata, una referencia conocida y lo acerca gentilmente al tema.

Martín Alonso, autor de textos sobre periodismo, señala que "el reportaje describe escenas, indaga hechos, pinta retratos, descubre interioridades, refleja emociones, examina caracteres".[52] Emil Dovifat sostiene que "la esencia del reportaje es la representación vigorosa, emotiva, llena de colorido y vivencia personal de un suceso".[53]

"El reportaje —escribió el periodista Javier Ibarrola— es el resultado de una búsqueda constante de respuestas, y es, sin duda, la mejor expresión del innato deseo del hombre por saber y, finalmente, trascender."[54]

Efectivamente, un reportaje debe trascender y permitir un mejor conocimiento de lo que es la sociedad, sin limitarse a la sola divulgación del acontecimiento, como hace la noticia; debe narrarlo, como la crónica, o comentarlo, como el artículo. Cada reportaje debe contar una historia y acercar cualquier tema —por más difícil que sea— al lector.[55]

El reportaje debe entretener siempre. Eso nunca hay que olvidarlo, a no ser que al periodista no le importe que su lector prefiera desviar los ojos hacia el otro lado de la página.

En México, a diferencia de otros países, como España por ejemplo, somos excesivamente solemnes al escribir en los periódicos, porque confundimos la solemnidad con la seriedad. Estamos equivocados. G. K. Chesterton decía que lo divertido no está peleado con lo serio, sino con lo aburrido. Y está en lo cierto.

Los reportajes, finalmente, son como las ensaladas: hay que reunir todos los ingredientes (información), revolverlos (procesamiento) y prepararlos (redacción). Cualquiera puede preparar una ensalada, con los conocimientos culinarios básicos, de la misma manera que cualquier reportero puede escribir un reportaje. La diferencia, en ambos casos, son los aderezos.

Un gran reportaje es el que logra hacer sentir al receptor, el que le provoca alegría, dolor o ira; el que le deja una sensación de satisfacción con lo que ha leído, más allá de su reacción emocional; el que lo transporta al lugar mismo del acontecimiento y le transmite el matiz de los colores, la profundidad de los olores y la intensidad de los personajes. La presentación de un reportaje es sencilla, pero no por ello deja de ser laboriosa.

Una recomendación para todo reportero: antes de iniciar un trabajo debe documentarse acerca del tema. No importa que no se sepa absolutamente nada de él. Lo que importa es que, previamente, averigüe todo lo posible y se convierta en un especialista de cubículo.

Un primer paso es ir a la hemeroteca y obtener los reportajes que sobre el mismo asunto se hayan publicado o bien consultar archivos digitales cuyas fuentes y veracidad estén comprobadas, ya sea por pertenecer a una universidad o a la hemeroteca *online* del propio medio. Ello permite ver cuáles son los ángulos que ya se han abordado, cuáles eran los problemas y la situación que se vivía cuando se escribieron los trabajos previos, y cuáles los antecedentes y las referencias con los que se puede medir, de manera más precisa, el cambio registrado en el tema. Este ejercicio también enseña cómo resolvieron otros informadores los diferentes obstáculos que se les presentaron durante la elaboración del reportaje y permite identificar las diversas fuentes de información, ya sea individuos o instituciones. Este material hemerográfico permite al periodista tener la primera impresión del tópico y, sobre todo, abre un abanico de posibilidades informativas.

La documentación abarca, en ocasiones, libros u otros textos a los que hay que recurrir antes de iniciar la primera serie de entrevistas, a fin de actualizarse en el tema por medio de notas, bases de datos, registros públicos, y empaparse de los problemas que se van a tratar además de obtener más información de primera mano, que será muy útil a lo largo de la elaboración del trabajo.

Antes de lanzarse a la calle, el periodista debe considerar la magnitud de su reportaje, el mensaje central, el enfoque que empleará y el tono que le dará a la historia.[56]

Una vez realizada esta etapa, hay que efectuar la investigación de campo y entrevistar al mayor número posible de personas, de todas las tendencias, de diferentes especialidades, de los campos más diversos. Entre más personas sean entrevistadas, mayor será el panorama de la situación, mejor el retrato y más profunda su comprensión. Es relativamente fácil escribir un reportaje con poca información (de hecho, con frecuencia así se elaboran y se publican, pero nunca dejarán de ser superficiales). Alan Riding, periodista británico que trabaja para el diario *The New York Times,* decía que con una semana en México era capaz de escribir un libro y que luego de un mes podría redactar un largo reportaje, pero que después de un año le sería más difícil escribir una sola nota. Se demoró más de una década para poder escribir *Vecinos distantes,* un polémico libro que, en realidad, es una introducción a la sociedad mexicana.

Esto es, mientras mayor sea nuestro conocimiento sobre un asunto, más se observarán los diversos matices de una información. Hay un método que se originó en el sistema educativo británico que nos ayuda a identificar el tema específico de un reportaje, evitando que nos dispersemos y que, además, nos encamina en la búsqueda de fuentes de información. El método nos aporta dos diagramas que con el paso del tiempo se van injertando en nuestra cabeza hasta que logramos dibujarlos mecánicamente, pero mientras eso sucede, las siguientes gráficas nos facilitan el proceso.

Este diagrama nos facilita centrar el objetivo de nuestro trabajo, al ir desdoblando todos los temas en los que podríamos incursionar. Al seleccionar uno lo que hacemos es, huyendo de lo general, salvar lo superficial. Centrarse en uno o pocos aspectos del tema focaliza el objetivo y nos permite profundizar en él:

Reportajes Ejemplo: "EL AGUA"
Diagrama 1

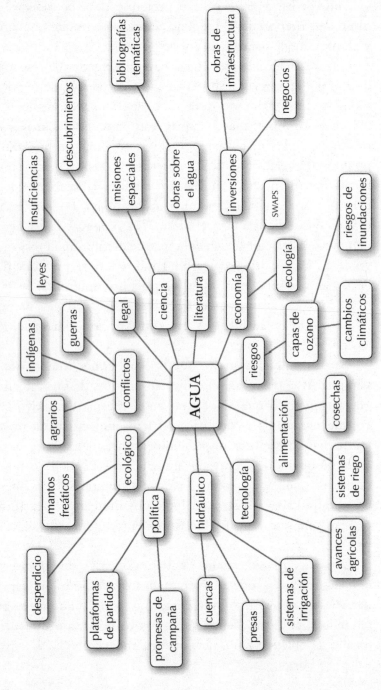

Este nos permite identificar a las fuentes de información directamente relacionadas con el tema. Una vez que descubrimos todas las fuentes de información que puede tener nuestra investigación, ubicamos en forma natural su importancia, su jerarquía y su utilidad:

Reportajes
FUENTES IDENTIFICACIÓN
Diagrama 2

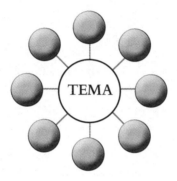

Lo más sencillo para el reportero es escribir un reportaje sin esos matices, de manera poco laboriosa y superficial. Nunca hay que tener miedo a que los entrevistados presenten contrapuntos; lejos de huir de posiciones antagónicas, es preciso estimularlas, pues le dan mayor riqueza al texto.

Las entrevistas equilibran cualquier información, pero en un reportaje no deben convertirse en el elemento más relevante, sino en la herramienta vital para explorar a profundidad cualquier tema.

Las entrevistas solo deben ser empleadas como respaldo. En un reportaje, sin embargo, no es el abuso de la entrevista el único problema. Jerarquización y contextualización son dos ingredientes indispensables en el periodismo; ambos son caminos tediosos y requieren pensar más en el texto y escribirlo una y otra vez hasta quedar satisfechos con el contenido y el ritmo. Hay casos donde la falta de jerarquización produce confusiones y no resuelve las necesidades informativas de los lectores, mientras que la descontextualización en un reportaje esconde por completo la trascendencia del tema. Por desgracia, en el periodismo mexicano esos casos no son la excepción, sino la regla. Presentada así una información, al lector no se le informa, sino que se le desinforma, y en lugar de ayudarlo a comprender un fenómeno, lo desorienta.

En México tenemos diversos ejemplos de este tipo de periodismo que en poco ayuda al lector, y mucho contribuye al demérito de la profesión.

Un caso:

Jerusalén, 29 de marzo. "¿De verdad quiere saber usted qué siento? —devolvió el español Ramón de Miguel—. Para mí, esta es una peregrinación. A veces me parece que los católicos nos orientamos más hacia Roma. Pero este es nuestro origen."

Ana, su mujer —"yo soy asturiana"—, levantó los ojos de su guía. "Aquí se siente la fuerza de nuestra religión, en estos Santos Lugares. Aquí, y esto le importa porque usted es mexicano, esta donación que hizo el emperador Maximiliano. Todo esto lo hizo santa Helena, la madre de Constantino…"

Ese texto continúa por varias columnas más, reproduciendo diálogos y conversaciones de peregrinos en Jerusalén. El reportaje fue escrito durante la primera Guerra del Golfo Pérsico, cuando el turismo se vino abajo en todo el Cercano Oriente. En esos momentos, el lector estaba bombardeado por información bélica, y de manera subconsciente pudo haberle dado el valor adecuado; pero si alguien relee hoy día ese reportaje, nunca entendería qué lo motivó. El reportero olvidó por completo darle contexto y, por ende, profundidad a sus palabras. Es un error. Debe proporcionarse al lector el marco en el que se dan los hechos: un solo párrafo para recordar que una guerra había derrumbado a la industria turística habría dado, para la posteridad, el lugar adecuado a esa información y valorado en su justa medida a los entrevistados.

La descontextualización en un texto es tan dañina como la saturación en otro, y tampoco ayuda al lector a desenmarañar la información.

Otro caso:

En la delegación Álvaro Obregón, considerada por el gobierno de la ciudad como zona de alto riesgo —aquí se asientan aproximadamente 350 000 habitantes en barrancas, laderas de cerros y orillas de ríos secos, y su población marginal total asciende a un millón y medio de habitantes—, como resultado de la fuerte precipitación pluvial ocurrida en la tarde del jueves, un menor pereció ahogado, 10 viviendas se derrumbaron, 156 más quedaron inundadas y otras 38 corren el peligro de caerse. En 28 de las 246 colonias se registraron fuertes inundaciones y el servicio de energía eléctrica quedó interrumpido en algunas zonas temporalmente.

Cualquier lector cuidadoso se habrá perdido en las primeras líneas. Los redactores de esa información nunca supieron jerarquizar qué dato era el más relevante y de mayor interés, en ese momento, para los lectores. El extenso párrafo tiene tres elementos diferentes: la delegación es de "alto riesgo", la marginalidad en la que viven sus habitantes y los daños causados por las lluvias. Todos podrían dar pie a la entrada del texto.

El motivo de la información era, evidentemente, la secuela de los daños causados por las precipitaciones, pero la redacción fue tan farragosa que hasta los propios editores encargados de titular la información se confundieron. La cabeza que escogieron para el texto se refería a las 350 000 personas que viven en riesgo físico en esa delegación (por el sitio donde se ubican sus moradas). El detalle de los daños causados por las lluvias se redujo a un segundo plano, y las víctimas del siniestro solo pudieron ocupar los últimos párrafos de la información. El sabor de boca que le queda a quien lee un texto así es de una amalgama de datos tirados sobre el papel de forma anárquica, sin el orden y la estructura mental necesarios para hacer que la información sea legible e interesante.

Un buen reportaje implica sumergirse en decenas de papeles y transcribir horas de entrevistas. Significa rastrear libros y documentos para cruzar datos, así como buscar sin descanso fuentes de información adecuadas. Ese esfuerzo es lo que distingue a los buenos periodistas del resto: la perseverancia no debe ser una virtud del periodista, sino un hábito. ¿Cuántas informaciones habrían quedado fuera del alcance de la opinión pública de no haber existido esos reporteros que fueron más allá de lo que otros ni siquiera imaginaron?

La historia de la matanza de civiles en My Lai, durante la Guerra de Vietnam, se hubiera mantenido en secreto de no haber sido por Seymour Hersh, quien la investigó durante seis meses, y cuando ningún periódico importante quería publicarla comenzó a venderla a medios pequeños hasta causar un escándalo tan grande que el resto de la prensa mundial debió seguir el relato, que le dio a ese periodista su primer Premio Pulitzer. O periodistas como Bob Woodward y Carl Bernstein, cuya tenacidad para juntar piezas casi de la nada desencadenó el escándalo conocido como Watergate, que llevó al presidente estadounidense Richard Nixon a renunciar. O, más cercano a México, la tenacidad y sagacidad del finado reportero de *Excélsior* Jaime Reyes Estrada, quien durante tres días siguió al entonces secretario de Estado estadounidense, Henry Kissinger, en Acapulco. Durmió y comió frente a donde se hospedaba el funcionario, lo siguió en lancha cuando salía a pescar y, en fin, representó una sombra tal que no tuvo más remedio que concederle una entrevista. O Ignacio Ramírez, reportero de *Proceso*, quien haciéndose pasar por albañil entró a una suntuosa obra en construcción en Zihuatanejo para escribir poco después acerca de lo que se conoció como "El Partenón", residencia de quien fuera jefe de la policía de la ciudad de México, Arturo Durazo Moreno.

¿Cuáles son los límites de la investigación para un reportaje? Esa pregunta no tiene respuesta. Pero experimentados periodistas sostienen que la investigación de un reportaje debe darse por concluida cuando ya se sabe más del tema que sus interlocutores.

Obviamente, cuando alguien llega a ese momento es que tiene abundante información cuyo volumen puede representar, al tratar de escribirla, un problema mayúsculo. Para todo periodista, la parte más difícil del reportaje es la redacción y la forma en que se presenta.

La presentación depende en gran medida de los diferentes tipos de reportaje que existen: informativo, de investigación, descriptivo, reportaje-entrevista, biográfico y narrativo.[57] Para todos, sin embargo, hay una técnica que puede utilizarse como patrón: la redacción circular, que implica poner nombre y apellido a un problema. Es decir, si vamos a hablar de la inflación y cómo ha afectado a los consumidores, no escribiríamos:

> Los consumidores mexicanos se encuentran preocupados porque la inflación de 50% en los alimentos durante la última semana ha repercutido en su poder de compra.

Aunque técnicamente es una redacción correcta, la presentación del problema no acerca al lector al texto, sino que permanece distante y fría. Además hay que tomar en cuenta que, si bien un buen número de lectores entenderá fácilmente la dimensión del problema, hay otro grupo importante que necesita ejemplos más gráficos. ¿Qué es la inflación? ¿Cómo afecta a la gente?

Así, en una redacción circular, donde homologamos los problemas con las personas comunes, el reportaje podría arrancar de la siguiente manera:

> Esta mañana, como todos los lunes, Julián Rodríguez llegó al mercado para comprar el abasto de su restaurante. Para su sorpresa, la misma cantidad de dinero que había empleado la semana pasada ahora solo le permitía comprar la mitad de los productos adquiridos siete días antes.

De esta forma tenemos la presentación sencilla de un problema, la que nos permite pasar de lo particular en el primer párrafo, a lo general en el segundo:

Al igual que millones de mexicanos, Rodríguez experimentó el fenómeno de la inflación que abate al país y que en una semana se disparó en un 100 por ciento.

Luego vendrá la explicación del fenómeno inflacionario, en términos sencillos, asequibles para el lector común y corriente:

Los precios lo registraban: la cebolla, que costaba 6 pesos el kilo, se elevó a 12; el tomate, que salía en 5 pesos, ahora ya no lo compró en menos de 10. En una semana, todos los precios se duplicaron.

Al dar ejemplos simples, ubicamos cualquier problema al alcance de todo lector. El periódico *The Wall Street Journal* se convirtió en el diario más importante de Estados Unidos cuando logró explicar a todos los estadounidenses lo que era precisamente la inflación y el impacto que tendría el choque petrolero de 1973. La experiencia de ese diario, que se ha convertido en el de mayor circulación entre los grandes matutinos de ese país, no debe soslayarse.

Un ejemplo de la forma de producir reportajes en tal periódico quedó brillantemente expuesta en 1977, cuando la reportera Karen Elliot House, quien años después sería nombrada directora del diario, introdujo de manera muy sencilla y atractiva un tema que parecía engorroso: la *burocracia* en el Departamento de Agricultura de Estados Unidos. La periodista mostró, en solo seis párrafos, la deformada cara de una dependencia que buscaba reestructurar el gobierno:

Washington. Dalton Wilson tiene un buen salario, un largo título y un escritorio limpio.

Wilson, de 52 años, es un asistente del administrador en el Servicio Agrícola Exterior del Departamento de Agricultura. El otro día, cuando llegó una reportera a platicar, el escritorio de Wilson tenía un dulce, una cajetilla de cigarros y los pies sobre él. Estaba recargado en su silla, leyendo los anuncios de bienes raíces en *The Washington Post*.

"¿Exactamente qué hace una persona con el puesto que tiene usted?", preguntó la reportera. "Usted quiere preguntar qué se supone que hago", dijo Wilson con un gesto. "Déjeme decirle lo que hice el año pasado."

Resulta que Wilson, que gana 28 000 dólares anuales, se pasó todo el año tratando de evaluar lo adecuado y oportuno de las publicaciones de grasas y aceites del departamento. Dice que 1977 parece que será otro año lento; y está planeando otro estudio, diseñado para justificar el uso de satélites para proyectar la producción agrícola.

El ritmo de vida de Wilson es típico en el Departamento de Agricultura. Con 80 000 empleados de tiempo completo, la dependencia tiene un burócrata por cada 34 agricultores. Ahora que el presidente Carter está tratando de reorganizar el gobierno para hacerlo más eficiente, una mirada de cerca al Departamento de Agricultura provee una visión clara de los problemas que afronta.

Por más distantes que puedan ser los problemas en el Departamento de Agricultura, difícilmente un lector abandonará el texto de la reportera: homologó el problema en la dependencia con la experiencia de personas comunes y corrientes, y lo trasladó de lo incomprensible a la sala de cualquier casa.

Con distinto estilo, en el siguiente ejemplo sobre cómo se transformó la vida cotidiana en Honduras, el reportero comienza su relato de una manera informal y descriptiva:

Tegucigalpa. Por la noche se oyen ráfagas de metralleta, gritos y el ulular de las sirenas. En el día, camiones del ejército recorren las calles de Tegucigalpa, y hay soldados por doquier, con sus rifles automáticos y cascos de campaña. "Esto ya es normal", dijo con tristeza un capitalino. "Hay una absoluta psicosis de guerra."

El redactor prosigue inmediatamente con la explicación del fenómeno:

El país entero está militarizado, ya sea por la cada vez más tensa situación con Nicaragua, ya sea por el descontento interno que ha producido el nacimiento de grupos armados clandestinos.

Hay una gran cantidad de secuestros, muchas detenciones, cateos a casas de gente que trabaja ayudando a refugiados, nerviosismo y mucha tensión. Latente siempre, el ruido de los fusiles.

Luego, busca darle dimensión al fenómeno de la violencia:

La situación se agrava cada vez más en lo económico, en lo político y en lo social. Desde el ascenso al poder de Roberto Suazo Córdova a fines de enero pasado, la erosión en este país, antaño oasis en Centroamérica, se ha acelerado.

En cuatro párrafos, el reportero ha planteado el tema que va a tratar y la dimensión de su reportaje, siempre con un lenguaje sencillo. Debemos incorporar ese lenguaje a toda redacción, pero sin caer en coloquialismos gastados. No se escribe para especialistas, ni es el objetivo. Se debe escribir pensando en un lector con conocimientos generales, que no tiene por qué saber de economía si no es economista, o de derecho si no es abogado; el lector que se debe buscar es universal. Hay que eliminar las inclinaciones solemnes en nuestros textos, porque solo conducen al aburrimiento. De esa manera, se puede compenetrar al lector en los temas más difíciles, y aun en aquellos que desconoce por completo.

Un buen ejemplo lo da el arranque del siguiente reportaje sobre Camboya:

Hun Sen, el primer ministro de Camboya, tiene dos sueños: vivir en el campo como un campesino, preferiblemente junto a un río donde pueda pescar su cena; y escribir el programa para el futuro económico de su país. Lo primero permanece como un ideal; lo segundo puede ser la salvación para esta pequeña nación.

Hun Sen encabeza un gobierno que no es reconocido en Occidente, en un país que ha sido destrozado por una guerra que duró

84

dos décadas, y que virtualmente ha estado cerrado al mundo durante 14 años. Ahora, este ex soldado revolucionario ha recibido la confianza en la arena internacional.

Cualquier lector queda perfectamente introducido al tema. En función de sus intereses personales puede seguir leyendo el reportaje, que no abandonará por encontrarlo incomprensible o no haberle motivado una reacción. Hay que insistir: al lector se le tiene que acercar a los temas, invitarlo a leer con entradas y enfoques diferentes, interesantes y atractivos. El reportero no puede encerrarse en un esquema, sino que debe darle vuelta y buscar las maneras más audaces y atrevidas. Debe recordar que de sus entradas depende en buena parte su prestigio y fama, pues si no logra capturar a quien comience a leerlo, será a la larga un periodista casi inédito.

Hay entradas que sirven como perfecto estímulo para abandonar la lectura, como la siguiente:

> Eran las 15:45 horas cuando la débil voz de Mario Alberto, el Cristo de Iztapalapa, a punto de extinguirse, exclamó: "Padre mío, por qué me has abandonado..." Luego, el cielo se nubló, se vino la tolvanera, los caballos se asustaron, la gente se miraba una a otra desconcertada...
> Y así, la tradición del Cerro de la Estrella se cumplió.

Sobre una tradición religiosa mexicana, el reportero no se esforzó por buscar una entrada más original, y prefirió escudarse en clichés y frases gastadas que demeritaron su trabajo. En el siguiente caso, el periodista invita a que dejen de leerlo por el arranque complicado y confuso, que esconde el interés y destruye todo gancho de atracción:

> Pocos días después de que un juez federal fijara su fianza en la inalcanzable cantidad de 10 millones de dólares y "profundamente decaído" por la perspectiva de pasar otra Navidad en una cárcel, Humberto

Álvarez Macháin insistió sobre su total inocencia de los cargos que se le han presentado y expresó su esperanza de obtener la libertad condicional mediante un acuerdo diplomático entre los gobiernos de Estados Unidos y México. Además, advirtió que se debe actuar judicialmente contra los autores de su secuestro en Guadalajara "para evitar que ese tipo de situaciones puedan repetirse en el futuro".

Frente a esos casos tenemos otra clase de entradas de reportaje que no solo invitan a continuar la lectura sino que representan un placer, más allá de lo dramático que pueda ser el tema abordado.

Sergio Pineda, corresponsal de *Excélsior* en Río de Janeiro, uno de los mejores redactores que se podían leer en la prensa mexicana, nos ofrece un botón de muestra de su talento al narrar el impacto por la muerte del presidente electo brasileño, Tancredo Neves:

Río de Janeiro. Como el Cid Campeador, quien ganaba batallas después de muerto, el presidente electo Tancredo Neves alcanzó hoy lo que hubiera sido su más querida victoria: la unión de todos los brasileños.

Después de una noche de llanto, el pueblo brasileño, traumatizado por la muerte de Neves, transformó hoy su tristeza en canto de historia. Tres millones de personas salieron a las calles de São Paulo y Brasilia para convertir el cortejo que conducía el féretro del presidente, en una vibrante manifestación de fe y apoyo a la joven democracia, por cuya instauración arriesgó y perdió la vida Tancredo Neves.

El cadáver del presidente electo fue conducido por las principales calles de São Paulo en un vehículo rojo de los bomberos, mientras millones de dolientes clamaban: "Brasil, Brasil".

Una gigantesca bandera verde, amarilla y azul (los colores nacionales) envolvió el féretro que estaba cubierto con coronas de flores. Millares de pañuelos blancos ondeaban emotivamente, o se aplaudía mientras el cortejo avanzaba bajo un cielo muy azul.

Alegre y amargo, sorprendente e insólito, Brasil, país de 130 millones de habitantes, potencia nuclear y hogar de 30 millones de hambrientos y desempleados, país místico y de miles de rostros y esperanzas, es hoy la India de América, y Tancredo Neves, su Mahatma Gandhi.

La prosa periodística de Pineda era capaz de atajar a cualquier lector, llena de información y sentimiento. En otros casos, las imágenes cobran peso específico y contundente en un texto, como en el reportaje que elaboró Marta Anaya, en *Excélsior*; en un Beirut desgarrado y destrozado durante más de una década de guerra:

Beirut. Solo levantar la mirada duele. Llena de rabia. Rebela. Lleva a maldecir y hace llorar. Esto es un verdadero monumento al horror.

Ruinas y más ruinas. Piedras sobre piedras. Hospitales, cines, casas. Todo destruido por los bombardeos. Simples cascarones en pie ennegrecidos por los incendios, fierros retorcidos, cortinas de metal que parecen papel picado.

Muros —los pocos que quedan en pie— con impactos de bala de arriba abajo. Calles solitarias patrulladas solamente por el ejército. Agua que escapa de algún lugar y corre sucia y maloliente por lo que alguna vez fuera el centro de Beirut.

O en un estilo por completo diferente, donde la técnica de contar una historia es vista en plenitud, Chris Hedges nos muestra con claridad la forma correcta de presentar los primeros párrafos en un impresionante reportaje sobre la violencia juvenil en Nueva York, publicado en la primera plana de *The New York Times:*

Nueva York. A los 12 años, la niña ya es huérfana, víctima de violación y madre. Ahora, dos días después de que su hijo recién nacido fue rescatado de la boca del extractor de basura, se ha convertido en algo más que un símbolo de la violencia que atrapa a los jóvenes en algunas esquinas de esta ciudad.

"Nunca tuvo una oportunidad", dijo un vecino quien, como la mayoría de los que fueron entrevistados hoy, insistió en no ser identificado. "La mayoría de nosotros no esperamos que se recupere de esto. Ella ha sufrido mucho, demasiado joven."

A los cuatro años, sus padres murieron en un incendio y pasó a ser cuidada por su tía, a quien sus vecinos en Brownsville, una sección de Brooklyn, describieron como emocionalmente inestable. Las drogas y el alcohol, dijeron sus vecinos, invadieron la casa. Fue confinada a una clase para alumnos de lento aprendizaje y no faltó un día, quizá su único triunfo en un mundo donde permanecer en la escuela era una tarea hercúlea.

Como si fuera para subrayar el desorden de una vida tan tormentosa como corta, su primo de 21 años y hermano adoptivo, Clarence Perry, fue arrestado hoy cuando amenazaba con colgarse del techo del edificio donde vivían. Le dijo a la policía que él era el padre del bebé. Lo acusaron de violación.

A ella, tras poner al bebé en el extractor de basura, la acusaron, como delincuente juvenil, por intento de asesinato.

La niña está en el Hospital Brookdale recuperándose del parto. Ella y su bebé están bajo la custodia de la Oficina del Bienestar Infantil.

La redacción en el reportaje debe ser de calidad uniforme y de estructura clara. Un elemento que siempre debe incorporarse en cada párrafo es el dato informativo. El cuerpo general del reportaje, con una redacción circular, puede dividirse en tres segmentos.

El primero juega como introducción, donde se plantea la problemática en términos generales, mostrando la polémica y las diferentes posiciones. También se puede presentar un fenómeno o un problema en toda su extensión.

El desarrollo se ubica en el segundo segmento del reportaje, que se puede ampliar a dos y hasta cuatro bloques si el tema lo amerita. Aquí ya se presentan los detalles de las diferentes posturas o de los puntos de vista recogidos, se incluyen antecedentes y se da cabida a algún dato histórico.

Es importante no excederse en los antecedentes y las referencias históricas porque se resta frescura al texto y, seguramente, hacen que el lector pierda interés. De la misma forma hay que tratar con las cifras: si bien son muy importantes, es preciso evitar un amontonamiento de números.

El último segmento tiene que estar dedicado a la conclusión: es el remate del reportaje y necesita ser tan impactante como el comienzo. En un reportaje circular se pretende retomar a la persona o al incidente con el que se inició el texto, como una especie de columna vertebral que sirva para aportar los ángulos humanos y frescos. Aunque no es un requisito en la redacción de ese tipo de reportaje, puede ser una herramienta útil para darle ritmo, coherencia y riqueza. Siempre hay que intentar tocar las fibras más emotivas del lector, sin caer en chabacanerías, y con el propósito fijo de que al llegar a ese gran final el público quede satisfecho.

Un buen ejemplo lo da un reportaje sobre las cooperativas soviéticas publicado por la revista *Time*, que comienza de la siguiente forma:

En la calle Gorki, a unas cuantas cuadras del Kremlin, la cooperativa de ropa "Vladimir Ivlev" está ganando 800 000 dólares al mes. Dos cuadras adelante, un restaurante italiano llamado "Lasaña" acepta todas las tarjetas de crédito y obtiene ganancias mensuales de 8 000 dólares.

De lo particular, entonces, el salto a lo general:

Son los nuevos capitalistas de la Unión Soviética, un creciente número de empresarios que están lanzando cooperativas mercantiles como una forma de respirar en el retrasado sector de los servicios y, de paso, ganar un rublo rápido en el proceso.

Luego viene el desarrollo, donde se habla del número de cooperativas que se están incorporando a ese nuevo proceso mercantil durante los primeros años de la era de Mijaíl Gorbachov, y el contexto social, político y económico en que ocurre el fenómeno, para rematar de la siguiente manera:

Pese al resentimiento público que ha creado, el movimiento de cooperativas ha abierto el camino de la iniciativa individual, y quizá del éxito financiero para miles de ciudadanos soviéticos que solo soñaban con esas oportunidades antes de la llegada de Gorbachov.

"Yo siempre quise ser independiente, y durante 70 años nuestro sistema no lo permitió", dijo Leonora, una lingüista de edad madura que está comenzando su propio negocio de traducciones. "Esta es la oportunidad para probarme a mí misma."

De esta manera el reportero utilizó los dos últimos párrafos de su texto para, primero, resumir el potencial de las cooperativas mercantiles, y luego dibujar con una cita la frustración y la esperanza que representaba la apertura que propició Gorbachov en lo que fue la Unión Soviética. El reportaje adquiere así una estructura circular, donde el redactor utilizó el acontecimiento (*v.g.*, la creación de cooperativas mercantiles) para tejer la trama del fenómeno.

Vincular los temas a personas con las que fácilmente nos podemos identificar es un ingrediente fundamental en este método para escribir un reportaje. Con la experiencia, cada reportero encuentra fórmulas y rutas que le permiten llegar más rápido a su objetivo. Algunos incluso desarrollan sus dotes literarias, que ciertamente son un gran valor agregado en el periodismo.

PERIODISTAS DE UNA PIEZA

Un periodista llega a un local donde se desarrolla una reunión muy importante a puerta cerrada, se identifica con una credencial apócrifa para entrar al salón de sesiones e informar lo que ahí ocurre; una reportera se vale del coqueteo para conseguir entrevistas que nadie más es capaz de obtener; varios periodistas aceptan credenciales de la policía, que les permiten efectuar su trabajo con mayor precisión; unos más se disfrazan para acceder a fuentes de información a las que, como periodistas, hubiera sido imposible llegar.

¿Son válidas tales acciones desde el punto de vista periodístico? Un informador viola la confidencialidad de una fuente que pidió el anonimato, porque la información que suministró es de gran interés para la sociedad; otro revela los nombres de víctimas de raptos; uno más acomoda las citas textuales de un entrevistado para dar coherencia a su declaración; otro tergiversa o descontextualiza lo que dijo; uno incorpora referencias indebidas a un párrafo para darle más fuerza a su información; otro reproduce denuncias y acusaciones virulentas sin darle a los afectados el derecho de réplica.

¿Es correcta esa actitud profesional para efectos de una información más sólida o menos pobre? Pocos se hacen esa pregunta, pero tales formas de comportamiento son frecuentes en el quehacer diario de varios periodistas mexicanos y extranjeros. Las mal llamadas técnicas que se usan en el periodismo de México, lejos de establecer relaciones profesionales serias, alienan y colocan como adversarios a los interlocutores. Pero no solo en México: la periodista de *The New Yorker*, Janet Malcolm, comienza el más célebre de sus libros, *El periodista y el asesino*, con estas palabras: "Todo periodista que no sea demasiado estúpido o demasiado engreído para no advertir lo que entraña su actividad sabe que lo que hace es moralmente indefendible. El periodista es una especie de hombre de confianza que explota la vanidad, la ignorancia o la soledad de las personas, que se gana la confianza de las personas para luego traicionarlas sin remordimiento alguno".[58] Desde luego, esto no debería pasar jamás y por ello se deben seguir ciertas reglas.

Los periodistas en general ignoran las relaciones atropelladas con otros agentes sociales: no se preocupan por limar asperezas y, así, eliminar el concepto de mal necesario que se tiene de la prensa en su conjunto, con el propósito de que se convierta en un vehículo imprescindible para que se comunique la sociedad. El resultado: una relación de sospechas y reservas mutuas, sin un clima de confianza que cree un ambiente profesional saludable. Si sus interlocutores ven a la prensa con suspicacia y la tratan con una combinación de temor y rencor, los periodistas no reaccionan en busca de la eliminación de tales factores negativos, sino que responden con soberbia y falta de cuidado profesional, lo que se refleja en conductas como las antes mencionadas.

¿Cómo son vistos todos esos casos en el periodismo mexicano? ¿Tienen algún sentido en el marco global de la función periodística? ¿Son consideraciones que valgan en algo ser tratadas? ¿Dónde están los límites en el periodismo? ¿Justifica la información una imagen poco clara del papel profesional del reportero? ¿Se puede operar bajo los mejores motivos cuando los resultados pueden ser moralmente insatisfactorios? ¿Es posible conciliar la búsqueda de la información —con las técnicas y argucias que se emplean para ello— y la necesidad de comunicarla?

Todas estas preguntas no son ociosas, porque el periodismo toca la vida de casi todo mundo y porque se beneficia sustancialmente de la tradición liberal de la libertad de prensa. En ese sentido, los estándares morales y la conducta en el periodismo merecen tanta atención como los estándares y conductas de los abogados, los médicos y los empresarios.[59] La prensa debe ser un instrumento de servicio público, no un medio para manejar a la gente, entretenerla o alimentar sus pasiones. Los medios deben ser guiados por los principios de "objetividad, imparcialidad, competitividad y continuidad para el país".[60]

Ya no basta con que el periodismo atraiga a hombres y mujeres solo como vocación. Tampoco es suficiente el talento o el temperamento que, como solía decir Julio Scherer, es necesario para tocar puertas, para soportar que se las cierren y para no cejar en abrir otras.

El nuevo periodismo tiene mucho que ver con la competencia, no en el sentido de la rivalidad sino de la capacidad profesional que, aunque pocas veces se menciona en la profesión, es la fuente más frecuente de violaciones a la norma periodística. Mentiras, conflictos de interés, malevolencia, injusticias y falta de respeto por las personas son, cuantitativamente, problemas morales pequeños en comparación con la incompetencia. La incompetencia no solo produce falta de rigor profesional, también genera fallas morales en el periodismo.[61]

La falta de competencia provoca por lo general que los reporteros no logren separar satisfactoriamente sus creencias de lo que están informando. En la época más áspera de la guerra en Nicaragua, a finales de los años setenta, los editores de *Unomásuno* tenían serios problemas con algunos de sus reporteros, pues en varias ocasiones una enviada escribió que el Frente Sandinista de Liberación Nacional había *tomado* la ciudad de León, sin referir cuándo la habían *perdido*. En otras palabras: la identificación de la redactora con los sandinistas le impidió reconocer que la Guardia Nacional del presidente Anastasio Somoza les había infligido una derrota, y negó a los lectores del periódico la posibilidad de que se formaran su opinión, pretendiendo, en cambio, inducírsela.

Otra forma clásica de falta de competencia se da en los ejércitos de periodistas que se han convertido en transcriptores de boletines de prensa, incapaces de generar información por fuera de las oficinas de prensa.

La total subordinación a la información oficial ha llevado a casos tan increíbles como aberrantes. Por ejemplo, había un reportero de radio asignado a la presidencia de la República, quien en cada gira corría detrás de los funcionarios para pedirles un comentario. En una ocasión se le acercó a un secretario de Estado y le pidió una declaración. "¿Qué quiere que le diga?", le respondió el secretario. "Lo que quiera —imploró el periodista—, pero dígame algo."

La competencia periodística se refiere a la capacidad para llevar a cabo las tareas que destina la profesión. Es decir, un periodista debe ser capaz de reconocer dónde está la noticia, saber emplear el lenguaje adecuado para presentarla, confirmar y revisar la información, sin dejar de incorporar los diversos elementos que le darán balance a su texto. Lo contrario engaña al lector, como cuando el enviado de un importante periódico de la ciudad de México publicó en 1989 la destitución de un presidente de Panamá dos meses antes de que ello sucediera; obviamente no adelantó nada, simplemente inventó la noticia que, por cierto, jamás fue desmentida, ni como fe de erratas siquiera, en el medio donde se publicó.

Todo esto se ha acentuado ante la necesidad de tener información rápida y en tiempo real, presión derivada de la revolución de Twitter y de la competencia creciente entre medios por tener la mejor información más rápido. Esto ha traído sus consecuencias. Una de las más notables en los últimos años fue cuando *El Universal* publicó que el abogado Diego Fernández de Cevallos había sido liberado. La información causó una enorme alegría que, sin embargo, rápidamente se diluyó al comprobarse que era totalmente falsa.[62] En las elecciones presidenciales de 2012, el periódico Reporte Índigo publicó que el operador electoral del PRI, Miguel Ángel Osorio Chong, y sus hermanos, habían hecho transferencias monetarias ilegales a Panamá, para lo cual mostraba copias de transferencias bancarias. La información resultó absolutamente falsa, y en las propias transferencias bancarias había errores e imprecisiones.[63]

La prensa mexicana incurrió en nuevas fallas durante 2013, a propósito de un caso de alto impacto en un bar en la ciudad de México, del cual se reportó que habían desaparecido 12 jóvenes. El periódico *Milenio* reportó que las autoridades no tenían ninguna información porque ninguna cámara de video había funcionado.[64] El diario *El Universal* difundió videos que adjudicaban a las cámaras que habían captado el hecho y el seguimiento por varias calles de la ciudad, los que resultaron ser de otro día, totalmente desconectados de cualquier acto delictivo.[65] Días después se dieron a conocer los videos de las cámaras en dichas calles, donde se veía a varios de esos jóvenes subiéndose a diversos vehículos.

Talento y temperamento son la mitad del periodista. La dedicación aporta un cuarto más, en tanto que la ética profesional completa el cuadro. Es así como la ética debe regir el quehacer periodístico.

Debe ser reguladora de todo profesional: el instrumento que medie tanto nuestra conciencia como las relaciones profesionales con los interlocutores.

La ética periodística es un concepto amplio que no solo se refiere a la honestidad material, sino también a la honestidad intelectual. La ética periodística tiene dos caras, interna y externa, que aparte de requerir articularse como unidad, deben ser consistentes por sí mismas.

Periodista que no tenga ética no es un periodista pleno. Periodista que no coloque la ética como cimiento de su trabajo tendrá una profesión endeble, vulnerable y con poca credibilidad. Por desgracia, la ética periodística es un concepto que, en la práctica, es casi nulo en el contexto nacional. Ningún medio tiene como herramienta de trabajo un código de ética, ni tampoco existe el concepto de "conflicto de interés", cuya ausencia solo distorsiona y vicia enormemente al periodismo mexicano.

Desde Platón, el tema de la ética ha capturado la atención de personalidades de todas las culturas. Las palabras *ética, principios* o *estándares* son parte del vocabulario diario, pero rara vez se les confronta con la necesidad de ir más allá de los términos establecidos.[66] "A lo largo de miles de años, legiones de filósofos han llenado las bibliotecas con manuscritos y libros sobre el tema de la ética", escribió John L. Hulteng. "Las teorías presentadas en esos volúmenes cubren un amplio espectro, desde los religiosos hasta los de comportamiento. Algunas de esas teorías son vagas místicas; otras bastante complejas; unas más fríamente mecánicas."[67]

La definición de "ética periodística" ciertamente puede variar y explorar una enorme cantidad de caminos. Podría aplicarse, incluso, aquella definición que un juez de la Suprema Corte de Justicia de Estados Unidos utilizó para explicar la pornografía: "Sé lo que es cuando la veo".[68] En el libro *Media Ethics,* tres autores mencionan cinco "normas morales" que a lo largo de la historia han servido como preceptos para quienes buscan guía en torno al comportamiento. Dos de ellas son particularmente relevantes en la discusión sobre ética en la prensa.

Una es la "regla de oro" de Aristóteles, donde se señala que el comportamiento moral debe ubicarse a la mitad de la escala que va de los excesos en un extremo, a la deficiencia o inactividad en el otro, en busca de una posición moderada entre los polos, a fin de actuar de manera responsable. La otra es el *principio de utilidad* expuesto por John Stuart Mill, referente a "buscar la mayor felicidad para el mayor número de personas". Es decir, la acción moralmente correcta llevará al mayor beneficio para la sociedad en su conjunto.[69]

Si bien, como admiten los autores de *Media Ethics* en su discusión sobre las normas morales, no hay una guía que llene todos los requerimientos, sí hay varios parámetros para analizar la conducta y las motivaciones. De hecho, como señala el filósofo George E. Moore, encontramos que muchos filósofos están dispuestos a aceptar como una adecuada definición de ética la afirmación de que se refiere a una cuestión de lo que es una conducta humana buena o mala.[70]

Los medios mismos no han sabido cómo resolver este delicado aspecto de las relaciones profesionales.

El primer código de ética sobre el comportamiento de que se tenga registro, que establecía mecanismos para resistir las presiones que se pensaba violaban las reglas del periodismo, fue adoptado por la Sociedad de Editores en Estados Unidos en 1992.[71] Reglamentos similares han sido adoptados por un número importante de medios en el mundo. Periódicos como el francés *Le Monde* y el español *El País* han incluido cláusulas de conciencia en sus contratos colectivos para defender a los periodistas de desviaciones editoriales e ideológicas en sus medios.[72] Pero los intentos persisten aún.

Desde los albores de la comunicación de masas —que comenzó a perfilarse en el Renacimiento— han existido dos o cuatro teorías básicas de la prensa, según como se cuenten. La teoría soviética comunista es solo una continuación de la teoría de la responsabilidad social, que es una modificación de la teoría libertaria.[73] Los primeros periodistas que registra la historia fueron obligados a trabajar bajo regímenes autoritarios, donde la prensa funcionaba de arriba para abajo.

En ese sistema los gobernantes la utilizaban para informar al pueblo solo lo que creían que debía saber, para difundir y apoyar sus políticas: la prensa era un siervo del Estado, una práctica que aún existe en varias partes del mundo. Con la expansión de la democracia política y la libertad religiosa, el aumento del libre mercado y los viajes, la aceptación de la economía de libre mercado y el clima filosófico general del despertar intelectual, el autoritarismo se debilitó y surgió un nuevo concepto de prensa.[74]

La teoría libertaria o de responsabilidad social surgió con la premisa de que la prensa no debía ser un instrumento del gobierno, sino que debía contener diversos puntos de vista y permitirle al público formarse su propia opinión. El mercado de las ideas tenía que ser, entonces, abierto, sin que el gobierno metiera las manos y dejando que las diversas sombras de la verdad y la mentira compitieran por la atención de la comunidad.[75]

¿Cuál es la responsabilidad social del periodista? ¿Cómo definir su campo de acción y el de la prensa en su conjunto? Son preguntas que no se dejan de hacer y capturan la atención de los estudiosos del periodismo. ¿Cuál es, entonces, el papel de la prensa?

La prensa tiene como tarea primordial reportar los acontecimientos y decirle a la sociedad lo que significan.[76] Los periodistas deben observar, vigilar e informar; al hacerlo, hacen responsables a otros de sus errores de comisión u omisión.[77] Pero la responsabilidad tiene varias caras. ¿Quién hará responsables de sus errores por comisión u omisión a los periodistas?

Los periodistas mismos deben hacerlo. No ha sido ni es legítimo el viejo adagio mexicano de "perro no come carne de perro" para eludir que la prensa hable sobre sí misma. Tal idea se asemeja mucho a lo que el inefable William Randolph Hearst dijo a los editores de su periódico en San Francisco: "Una buena política para poner en práctica sería no publicar nada desfavorable de los periodistas".

Los periodistas sí deben criticar faltas éticas en el comportamiento profesional de sus colegas, pues no hacerlo daña al periodismo en su conjunto y va en detrimento del propio gremio. La falta de códigos de ética y normas que regulen el comportamiento de los periodistas, pues, no debe significar una barrera para emprender lo que seguramente será un largo y tortuoso camino donde, en sus primeras etapas, serán más quienes se opongan. El periodismo mexicano tiene décadas de lastre por violaciones a la ética profesional, y es injusto que futuras generaciones carguen con lo mismo.

Aunque el caso mexicano está en una etapa de mayor subdesarrollo, justo es decir que en ningún lado del mundo se han construido estándares éticos dentro de los medios de comunicación masiva. La ética de cada comunicador responsable contribuye a la elaboración de códigos de conducta profesional a los que pueden suscribirse la mayor parte de los periodistas. Todos los códigos profesionales son esencialmente guías morales para ayudar a quienes buscan soluciones a los complejos problemas que surgen con frecuencia.[78]

La prensa en México suele patinar cuando se pretende delimitar su campo de responsabilidad. Por ejemplo, marchar en una manifestación a favor del aborto traspasa la frontera del periodista de la misma manera que ignorar a una fuente de información por el solo hecho de discrepar ideológicamente con ella. Todo periodista no solo tiene sino debe tener una posición como actor político dentro de la sociedad, pero expresarla o que afecte su trabajo profesional ya entra en el pantanoso terreno de la ética periodística. Nunca se dejará de debatir sobre el tema porque es un campo tan subjetivo, de tantos matices, con protagonistas tan variados, tan activos, tan políticos, que no hay puntos fáciles de acuerdo.

Puede haber sin embargo bases para el trabajo, como los códigos de ética, que establecen normas generales para la reglamentación del comportamiento profesional del periodista (véase el apartado "Código de ética"). El tema de la ética ha tomado vertientes más complejas que obligan a una reflexión mayor sobre lo que es aceptable y lo que no.

Uno de estos casos altamente debatibles se dio cuando Julio Scherer, decano del periodismo mexicano, fue invitado por uno de los jefes de narcotráfico, Ismael *el Mayo* Zambada, porque, le dijo claramente, quería conocerlo. De su plática, Scherer reprodujo en la revista *Proceso* juicios de valor de Zambada, sin que le hiciera preguntas —de acuerdo con lo que difundió— sobre ningún tema que justificara el valor de esa charla. La forma chocó con el fondo, y se incendió la opinión pública en una discusión maniquea: golpe periodístico (por tomarse una fotografía con un sujeto buscado por el gobierno mexicano), o mensajero del narco (por difundir acríticamente su dicho).

En 2008, cuando tuve la oportunidad de dirigir editorialmente uno de los principales periódicos de la ciudad de México, dos editores, apresurados, me dijeron que Joaquín *el Chapo* Guzmán, que se había fugado de una cárcel de máxima seguridad en 2001 y quien junto con Zambada encabeza el Cártel de Sinaloa, había ofrecido darle una entrevista a una reportera, y querían mi visto bueno para comunicar a los intermediarios que la haríamos y, sobre todo, que la publicaríamos. Mi respuesta inmediata fue no. Replicaron que sería un "golpe periodístico", e insistí en que no. ¿Cuáles eran las razones? Se las expuse:

1. ¿Cómo sabíamos que no era una trampa para la reportera, veterana en coberturas delicadas y que en el pasado ya había sufrido amenazas? ¿Cómo garantizar su vida?

2. Suponiendo que no fuera así, ¿qué sucedería en el hipotético caso de que poco después de la entrevista *el Chapo* Guzmán se topara con fuerzas de seguridad, tuviera un enfrentamiento o incluso lo arrestaran? Sus socios iban a pensar que la reportera había "puesto" (entregado) al narcotraficante. Es decir, su vida estaría en serio peligro.

3. La siguiente pregunta necesaria era: ¿por qué nos ofreció la entrevista? Uno de los editores respondió que Guzmán quería enviar un mensaje, aparentemente al gobierno de Estados Unidos, de que estaba dispuesto a entregarse. Esa afirmación tendría un valor periodístico, en efecto, pero al final de cuentas era un mensaje que

quería transmitir, y no una declaración obtenida de una entrevista que se hubiera solicitado, que se hubiera trabajado, proceso con el que se hubiera persuadido a un criminal de hablar abiertamente con la prensa. Desde mi punto de vista, los términos de una charla con cualquier interlocutor cambian radicalmente si es una invitación —donde de antemano se aceptan las condiciones del entrevistado—, o si se convence al interlocutor de dar la entrevista —donde este es el que acepta las condiciones—. En la primera instancia, el riesgo de que sea propaganda es alto; en la segunda, dependerá de la habilidad del entrevistador para que no lo sea.

4. Si aceptáramos la invitación, proseguí hipotéticamente, y la reportera decidiera —como estaba seguro de que lo haría— preguntar sobre los temas relevantes que tendría que explicar un capo del narcotráfico como Guzmán —como lo que desde entonces se habla, de que está protegido por el gobierno federal—, ¿cómo garantizar la seguridad de ella en la entrevista? Si aceptábamos los términos de la invitación, aceptábamos también que se publicaría, y en ese sentido, solo lo que él dijera que podíamos difundir. Si no contestaba lo que ella le preguntara, el material que saldría a los lectores sería el equivalente a un boletín de prensa, muy espectacular por la fuente, pero solo eso.

5. Para efectos de argumentación planteé que si todo eso fuera superado e hiciera las preguntas necesarias, ¿qué sucedería si a Guzmán no le gustaba el resultado final? La vida de la periodista podría estar en peligro, y estaríamos abriendo la puerta del periódico a represalias del narcotráfico.

6. Pero si el producto publicado le satisficiera y no hubiera problema posterior con él, la pregunta era: ¿qué pensarían sus rivales en el narcotráfico? Dudo, como algunos creen, que exigirían un espacio similar para decir lo que quisieran. En la mecánica de la mente de los narcotraficantes, resultaba más probable que pensaran que nos habíamos aliado con el Cártel de Sinaloa. En cualquier caso, abriríamos la puerta al narcotráfico y seríamos un campo más de sus batallas sangrientas.

En la suma final de considerandos, no alcanzaba a ver el final del túnel que garantizara la seguridad para la periodista, que dejara blindado al periódico frente a venganzas o complicidades asumidas de los narcotraficantes, y que pudiéramos tener la certeza de que el producto final tendría un valor periodístico tan grande que, como en las ocasiones en que se toman decisiones éticas, se hicieran de lado todas las consideraciones por el bien mayor que se iba a alcanzar. El rechazo a la invitación del *Chapo* no tuvo posteriores represalias.

A casi dos años de distancia, Scherer, cuyas consideraciones para ir al encuentro con Zambada aún no ha explicado con claridad, tomó el camino contrario. Criticarlo o alabarlo sin sustentar la posición que conduce a esa conclusión no lleva a nada constructivo. Es cierto que quedó a deber contenido periodístico, como también lo es que Zambada pudo enviar sus mensajes encriptados: seguía operando, seguía vinculado a Guzmán, vivía a salto de mata, lo que significaba que la guerra contra el narcotráfico sí lo había afectado, y no quería meterse en lo personal con el presidente.

Más allá de lo anecdotario, el encuentro de Scherer con Zambada representa una gran oportunidad para abrir el debate, no solo sobre la forma sino sobre el fondo de lo que ello significa. Pero hasta ahora la discusión pública no ha aportado argumentos, razones o ideas que permitan comprender cuál debe ser el papel de los medios de comunicación en esta lucha.

Este es un debate que ayudaría a establecer un gran marco de referencia que acote la anarquía informativa que se vive actualmente, así como los antagonismos en la opinión pública y la polarización social que generan. Permitiría confrontar las ideas sobre el derecho a informar por parte de los medios y el derecho de la ciudadanía a ser informados, contra lo que a veces sucede de manera cada vez más frecuente: el deseo de entretener de los medios, y el de la sociedad de ser entretenidos. Sin embargo, esta discusión no ha comenzado. Parece no haber urgencia de reflexionar sobre este tema, es demasiado complejo y hay que pensar mucho. Para qué hacerlo, se podría alegar cínicamente, si como estamos hasta parece que vivimos felices.

En lo global, los periodistas deben buscar la verdad como parte del derecho del público a conocerla.

Su trabajo, empero, implica responsabilidades que los obligan a comportarse con inteligencia, objetividad, veracidad y justicia.[79] La defensa de los principios éticos en la prensa, que conlleva el establecimiento de una relación de buena fe con los lectores —que es el cimiento de un verdadero periodismo, y de seriedad y responsabilidad para con sus interlocutores—, es también el mejor conducto para la defensa y expansión de la libertad de prensa, la que debe protegerse como el derecho inalienable de todo pueblo en una sociedad libre.[80]

Hay diversas situaciones donde la falta de aplicación de normas éticas empaña el comportamiento profesional de quienes hacen periodismo. Una de ellas, quizá la más difusa y extendida en el periodismo mexicano, es aquella que se refiere a los "conflictos de interés": aquellas circunstancias donde un periodista pierde libertad para informar al público sobre acontecimientos de interés colectivo.

Para el grueso del periodismo mexicano, "conflicto de interés" es un concepto inexistente, carente de cuerpo, sustancia y contenido. Pensar de esa manera, sin embargo, es un error. La inexistencia de ese concepto es el alimento fundamental de la colusión de la prensa y los periodistas con el poder; es la razón por la cual son invisibles las líneas que deben separar al periodista de sus interlocutores. Por su ausencia en lo que debería formar parte de una ética periodística, se generan las cadenas de corrupción y de compromisos que colocan candados y límites en el diario quehacer periodístico.

Los mejores periodistas deben preocuparse por temas éticos como el balance, la objetividad y las técnicas para recopilar la información,[81] que se ven distorsionados con la ausencia del concepto de "conflicto de interés". La perversión del quehacer periodístico toca todos los niveles de la profesión, y al no haber frenos, se expande la cascada que produce.

Este defecto del periodismo mexicano se manifiesta de distintas maneras pues no solo abarca intereses y beneficios de carácter económico, donde la relación se vuelve más mercenaria, sino también explora intereses políticos, con lo que el periodista entra a un terreno que no le pertenece y en el cual, al dejar de servir a un propósito político determinado, es finalmente desechado.

¿Dónde comienza y dónde termina un "conflicto de interés"? ¿Cuáles son las reglas básicas que deberían regular nuestras relaciones profesionales? Estas son las preguntas que no se hacen con regularidad en México. Pero imagínese qué pensaría un lector si supiera:

1. Que el jefe de información de un importante periódico de la ciudad de México maneja las relaciones públicas y periodísticas de varios gobernadores.

2. Que un afamado reportero menciona frecuentemente a un político en sus crónicas porque le ayudó en el financiamiento de una película, como en el pasado lo hacía con un líder sindical que lo mantenía en su nómina.

3. Que algunos respetados periodistas no reciben dinero en efectivo de nadie, pero aceptan honorarios por ser "asesores" de políticos o por reunirlos con otros periodistas afamados, o piden favores, como puestos de gobierno para familiares y amigos.

4. Que el afamado comentarista de radio defiende sistemáticamente al jefe de gobierno del Distrito Federal porque es su amigo y única fuente de ingresos publicitarios.

5. Que el director de noticias de una televisora no difunde ninguna información del candidato de un partido hasta que el partido no acuerda con él convenios de publicidad.

6. Que el director de un periódico esconde la información crítica sobre un alto funcionario porque la dependencia que encabeza le dio trabajo a su hija.

7. Que un influyente columnista de negocios defiende abiertamente a los bancos porque le entregan una cantidad mensual como "apoyo" al salario.

¿Cuál es el impacto de esto en la información? ¿Cómo pueden jefes y reporteros mantener el equilibrio y el balance en la información cuando están vinculados con una de las partes de la noticia? ¿Cómo puede un periodista presentar a los lectores una imagen fidedigna de la realidad, cuando recibe favores de uno de los sectores que ayudan a formar esa realidad? ¿Cómo se puede mantener la integridad profesional cuando hay arreglos extraperiodísticos que permean el trabajo diario?

Los lectores ignoran ese tipo de arreglos y de ingredientes que influyen en distintos grados en la información. Es obvio que la objetividad y la imparcialidad, o la justicia y el balance en la información están totalmente extraviados. No puede darse un trabajo serio y profesional si existen tales condiciones. Todo ello es algo que los periodistas, actuales o futuros, no deben olvidar. Si existen esos ruidos contaminantes en el trabajo periodístico, ¿cómo pueden los periodistas redefinir el papel social de la prensa? ¿Cómo podemos decir que la prensa juega un papel central en ayudar —por medio de sus poderes de investigación y exposición— a reducir los riesgos de la incompetencia y el abuso al entregar información sobre los asuntos del gobierno y servir como un foro para comunicarlo con la sociedad? ¿Cómo podrán los periodistas hablar con la verdad acerca de la conducta oficial, exponer errores y abusos, representar las opiniones de diferentes grupos y, por supuesto, evitar las faltas y las malas interpretaciones?[82]

La falta de parámetros éticos en la prensa mexicana ha conducido a engaños flagrantes y a una distorsión de la realidad. Tres casos ilustran tales desviaciones, las que no solo no fueron castigadas sino que, por el contrario, fueron apoyadas, estimuladas y recompensadas por los más altos responsables de los medios:

• El departamento de fotografía de un importante diario de la ciudad de México no tenía miramientos en absoluto para hacer trucos en sus imágenes. Cuando en una asamblea del PRI estuvieron presentes el presidente en turno, Miguel de la Madrid, y los dos ex mandatarios, Luis Echeverría y José López Portillo, uno de los fotógrafos, por sugerencia de su jefe, editó una gráfica para que aparecieran juntas las tres personalidades y de esa forma poder publicar al día siguiente, en la primera plana, una foto inventada sin alertar al lector sobre el truco realizado. El antecedente de inventar realidades lo había experimentado ese mismo periódico previamente, cuando para evitar que sus fotógrafos volvieran a perder la oportunidad de retratar el preciso momento de la anotación de un gol, decidieron imprimir fotos de balones de futbol que, en ese tipo de casos, insertaban dentro de la portería mediante un proceso de edición en el laboratorio.

- Un periódico capitalino acordó con una fábrica de cereales la reproducción de algunas de sus primeras planas en las cajas de los productos; llamó la atención, sin embargo, que algunas de ellas tenían borrado el nombre del director, que había salido del periódico durante un conflicto político. Ese mismo diario le decretó la muerte civil a varios de los protagonistas de tal incidente, al eliminar sus nombres de cualquier información o referencia donde se les mencionara aun años después de haber ocurrido.

- Una cadena de televisión transmitió un segmento sobre una sesión en el Senado, pero los televidentes notaron que cuando la cámara paneaba sobre el grupo de legisladores, había un momento en que la cara de uno de ellos se distorsionaba y no se podía distinguir quién era. No tardó mucho en saberse que se trataba de Santiago Creel, uno de los senadores más combativos a favor de una nueva Ley de Radio y Televisión contra la cual se encontraba la televisora. Después de un escándalo público, la televisora dijo que había sido un error y no un acto de censura y represalia porque el senador iba en contra de sus intereses.

La distorsión de la realidad no es solo una falta de ética, sino también de seriedad y profesionalismo. El control de calidad en los medios y periodistas tiene que ser reforzado. Si en los medios convencionales existen esas deficiencias, la rapidez con que se mueven las redes sociales ha llevado a varios periodistas experimentados a cometer errores. Uno aseguró que se había encontrado el cuerpo del abogado Diego Fernández de Cevallos, quien había sido secuestrado días antes. Otro afirmó que el secretario de Gobernación, José Francisco Blake, estaba herido tras un accidente en helicóptero, cuando en realidad ya había muerto. Uno más difundió una noticia falsa de una supuesta balacera en Polanco que había "reportado" un *tuitero*.

El problema de difundir información falsa, deliberadamente o no, tampoco es patrimonio de los mexicanos. Cuando se opuso a la entrega de un Premio Pulitzer en 1979 porque un par de reporteros se hicieron pasar como dueños de un bar en Chicago para averiguar la corrupción de las autoridades de la ciudad, el entonces director de *The Washington Post,* Benjamin C. Bradlee, preguntó a sus colegas: "¿Cómo puede pelear un periódico por honestidad e integridad cuando él mismo es menos honesto para obtener la información?"[83] Muchos años después, Howell Raines, quien había llevado a *The New York Times* a conseguir siete premios Pulitzer por su cobertura de los atentados terroristas del 11 de septiembre de 2001 en Estados Unidos, tuvo que renunciar a la dirección del diario tras revelarse que una de sus jóvenes promesas había plagiado un reportaje y él mismo fue laxo en las advertencias que sobre ese periodista le habían formulado varios de sus editores.[84]

La lección, muy dolorosa para *The New York Times*, es espejo para todos. Un periódico y sus periodistas no pueden valerse de engaños para obtener información. Así como un medio no puede publicar fotografías editadas para darles un ángulo noticioso o estético, o un noticiero de televisión no puede hacer pasar imágenes viejas como nuevas, tampoco los periodistas deben engañar para conseguir información. Sus técnicas de reporteo deben ser honestas, aunque en este terreno también haya líneas divisorias muy tenues. Nunca será lo mismo hacerse pasar por policía en la investigación de una información, que dejar que otros piensen que uno es policía: no es lo mismo decir y mentir, que dejar de decir y no mentir. Los recursos reporteriles pueden ser ilimitados, pero no deben incursionar en el terreno de las trampas o argucias oscuras, como pretender que una fuente se emborrache para extraerle información. Tampoco sería correcto robar un documento por más importante que sea, porque de origen se está cometiendo un ilícito.

Trabajar en este tipo de condiciones suele ser bastante difícil, y particularmente en México, donde las fuentes de información son sumamente cerradas y celosas, pero eso no puede representar un obstáculo infranqueable. Tirar barreras debe ser casi parte de la vocación del periodista. Dejar de hacerlo, porque siempre las encontrará, lo llevará a pasar de ser un agente activo a uno pasivo al que absorberán los más poderosos, que en el medio mexicano puede ser casi un eufemismo del gobierno.

Ningún medio debe convertirse en protector del gobierno, ni los periodistas en guardianes de los funcionarios. En el ámbito mexicano, lamentablemente, las estrechas relaciones económicas o de compromiso de la prensa con el gobierno convierten a la primera en cómplice del segundo, en vez del vigilante que debiera ser. Esta relación requiere de un estudio más profundo y detallado en un espacio propio que no es este. Sin embargo, hay un aspecto directamente relacionado con ese fenómeno que sí cabe tocar aquí, en tanto refiere el "conflicto de interés": el asunto de la publicidad oficial.

El principal anunciante en los medios de comunicación mexicanos no es la iniciativa privada, como sucede en el resto del mundo, sino el gobierno. El aparato gubernamental no solo usa la forma de desplegados para sus anuncios sino que, principalmente, disfraza su propaganda bajo la apariencia de información, sin que los medios alerten a su público.[85] Paralelamente, la mayoría de los medios mexicanos otorgan un porcentaje de esa publicidad a los reporteros de la fuente que la genera; aunque el monto es pequeño —entre 5 y 12% de la tarifa publicitaria—, llega a ser bastante superior a sus salarios nominales. No hay casi nadie, propietarios de medios, editores o periodistas, que considere ilegítima esta práctica.

Cierto, no es ilegal, pero tampoco es legítima desde el punto de vista ético.

Por esa vía se ha transformado a periodistas en *vendeplanas*, protectores del buen comportamiento de la fuente de información que tienen asignada —por el temor a perder los ingresos publicitarios— y vulnerables a cualquier presión o chantaje de quienes asignan la publicidad. Ese camino también ha provocado una distorsión hacia el interior de los medios, donde se dan disputas por las "mejores" fuentes de información, ya no en términos de noticia, sino de ingresos publicitarios, y ha permitido al gobierno un sutil pero eficaz control sobre la prensa. ¿Cómo puede un periodista cumplir cabalmente con su trabajo y, al mismo tiempo, tener ingresos superiores a su salario, sin que tal contradicción afecte su labor? ¿A quién responde finalmente el periodista, si la mayor parte de sus ingresos no sale del medio que lo contrató, sino de la fuente que tiene asignada? ¿Para con quién serán las lealtades?

Junto con este mecanismo de control se da otro más burdo, grotesco, ampliamente difundido, muy criticado y solicitado: el llamado *embute* o *chayote*. Estos son eufemismos de dinero en efectivo que se les entrega directamente a los periodistas de dependencias federales y en no pocas instituciones privadas. Es la forma más baja de corrupción y la violación más primitiva de la ética profesional, como también es la más extendida y soslayada por todos. Los empresarios de la prensa suelen solapar esa práctica porque les significa una compensación de los bajos salarios que pagan, mientras que las instituciones acostumbran darlo en forma mecánica a manera, sostienen, de gratificación.[86]

Cada vez hay más periodistas que rechazan ese tipo de arreglos siniestros entre la prensa y el poder, pero siguen siendo minoría. Tanto en estos casos como en aquellos donde las cuestiones económicas inciden sobre el trabajo profesional, se produce una cooptación natural, una especie de coerción profesional y una institucionalización de los mecanismos de censura. Cuando un periodista es copartícipe de ese mecanismo, automáticamente cede independencia intelectual y profesional.

Adicionalmente, se produce un efecto paradójico cuya raíz refleja el grado de distorsión al que se ha llegado: cuando un periodista que percibe ingresos de una fuente determinada tiene acceso a información negativa acerca de esa fuente o que puede afectarla, suele cuestionarse a sí mismo si es "ético" publicarla, cuando lo que no es ético, precisamente, es el método original que llevó a ese pensamiento. También se dan casos de rechazo, crítica y aislamiento hacia quienes se niegan a recibir dinero o regalos por parte de las fuentes informativas por considerar que es un "conflicto de interés" que afecta la independencia y autonomía de su quehacer periodístico.

Los menos, en este caso, tienen la razón. ¿Qué tipo de información puede esperar el público de un medio que protege a quienes le dan más dinero, ya sea por la vía de la publicidad o mediante arreglos subrepticios? ¿Qué reflejo de país podrá proporcionarles? Ese tipo de relaciones conduce a actitudes inexplicables en la prensa nacional, como cuando *Excélsior* no publicó una crítica al sistema político mexicano que hiciera el presidente impuesto en Panamá, Guillermo Endara, en 1990, porque, a decir de un ejecutivo del diario, "no íbamos a hacerle el juego", pero no se hizo ningún cuestionamiento cuando días después publicó en su primera plana la reacción de la Secretaría de Relaciones Exteriores a tales palabras.

Seis años antes, la casi totalidad de la prensa mexicana calló una acusación periodística en Estados Unidos contra el entonces presidente Miguel de la Madrid sobre supuestos desvíos de fondos a cuentas bancarias en Suiza. Pero cuando el gobierno respondió a la acusación, los mismos medios que habían callado explotaron en defensa apasionada del jefe del Ejecutivo, sin mencionar a sus lectores las razones de su encono.

Ocultar información de interés público atenta contra la ética de la prensa, cuyo deber es ventilar públicamente aquellos acontecimientos que puedan modificar el destino de la sociedad. En tal sentido no hay puntos de retorno. La buena marcha puede encuadrarse dentro de una especie de teoría de la responsabilidad periodística, inexistente en México y muchas otras naciones, que podría recibir inspiración del reporte elaborado en 1947 por una Comisión sobre la Libertad de Prensa en Estados Unidos, publicado en forma de libro con el nombre de *Una prensa libre y responsable.*[87] En esa obra se enumeran los cinco principales deberes de la prensa:

1. Dar un recuento verdadero, completo e inteligente del acontecer diario, en un contexto que aporte significado.
2. Ser un foro para el intercambio de comentarios y críticas.
3. Proteger una imagen representativa de los grupos constituidos en la sociedad.
4. Presentar y clarificar las metas y los valores de la sociedad.
5. Facilitar el acceso pleno a la información del día.

Los principios no han cambiado, pero el comportamiento de un sector de la prensa sí se ha visto mermado en México con el transcurso de los años.

La prensa, con sus excepciones, no se ha convertido en un foro plural, real, sino que se ha vuelto una especie de altoparlante del gobierno y de aquellos sectores a los que quiere apoyar. Por lo mismo, tampoco ha sido espejo fiel de los diversos sectores —representativos— de la sociedad.

La prensa ha perdido, en gran parte debido a la inexistencia de los "conflictos de interés", su objetivo de presentar y clarificar los valores y las metas de la sociedad: solo realiza ese papel para aquellos grupos con poder económico que pueden comprar espacios informativos y otorgar privilegios a los periodistas.

Como un eslabón de ello, suele presentarse una sola cara de la realidad, pensando quizá que por tapar el sol con un dedo es posible desaparecerlo por completo.

En otras palabras: el hecho de que no se describa la miseria en las comunidades indígenas de Oaxaca no significa que no exista, como tampoco una epidemia de cólera será erradicada tan solo porque no se publique la información al respecto.

Mentir, ocultar, tergiversar, ser injusto o tendencioso, permear el trabajo por intereses creados, son violaciones fundamentales a la ética periodística.

Peor aun cuando la sociedad descubre las fallas en las que incurren los periodistas. Quienes promueven tales desviaciones saben perfectamente de los alcances y limitaciones de la prensa; no es casual que los noticiarios de la televisión mexicana carezcan de credibilidad y que los periódicos y las revistas de información general tengan circulaciones tan bajas. En ese contexto, la radio se coloca como el medio más creíble, mejor conectado con la sociedad, pese a sus deficiencias y sus técnicas obsoletas.

Pero en todos por igual, los asuntos éticos continúan como un tabú. Sin embargo, uno de los temas donde el enfrentamiento entre los medios y sus interlocutores ha sido mayor y más violento, es aquel referido a la intromisión —acusan los afectados— de los medios en asuntos privados de los individuos.

Aquí la lucha ha sido sin cuartel, no solo por la falta de reglas claras en esa dinámica, sino por la ausencia de una definición de lo privado y lo público.

Desde mediados de los noventa, esa ha sido la cuestión de fondo insuficientemente debatida sobre el papel de los medios de comunicación. Polémicas abiertas han sido la publicación de la fotografía de Raúl Salinas de Gortari —acusado por ser coautor intelectual del asesinato de José Francisco Ruiz Massieu— con su amante María Bernal sobre las piernas; la divulgación de una carta del entonces coordinador de la campaña presidencial del PRI en 1994, Ernesto Zedillo, al candidato Luis Donaldo Colosio, donde le sugería llegar a un convenio político con el presidente Carlos Salinas, o las relaciones de José Córdoba, jefe de la presidencia salinista, y de Emilio Gamboa, secretario de Comunicaciones en esa administración, con

Marcela Bodenstedt, contacto del Cártel del Golfo, sin que se haya llegado, años después, a un acuerdo entre las partes involucradas.[88]

La naturaleza del dilema es cómo, en una sociedad democrática, se reconcilia el conflicto frecuente entre el derecho de libertad de expresión y el de privacidad. Generalmente es aceptado que la vida privada termina en el momento en que su acción o actitud modifica o afecta el entorno, por lo cual pasa al área del llamado interés público. Tal es el caso de la carta de Zedillo a Colosio o de las relaciones de funcionarios con la señora Bodenstedt.

De la misma manera, como hipótesis de trabajo, se podría plantear la siguiente pregunta: ¿en qué momento las relaciones extramaritales de un presidente son del interés público y no solo de su familia? La respuesta es sencilla, aunque discutible: en el momento en que esa relación tiene un impacto directo en la comunidad, por ejemplo, que la amante de un presidente sea nombrada titular de un cargo público. Si por el contrario, la amante no tiene ninguna injerencia en asuntos que afectan a una comunidad, esa relación debe permanecer inscrita en el ámbito privado y por tanto, éticamente, no ser revelada al público.

El tema en lo general ha sido abordado desde distintos ángulos. Pero fue el gobierno británico, por medio de su Departamento de Herencia Nacional, el que se refirió ampliamente a la privacidad y la intrusión de los medios en 1995, en respuesta a una inquietud que le había formulado un comité selecto de la Cámara de los Comunes dos años antes.[89] En la respuesta, el gobierno británico establece que si bien el derecho a recibir e impartir ideas e información es uno de los ejes de cualquier sociedad democrática, también lo es, de acuerdo con el artículo 10 de la Convención Europea, que el ejercicio de la libertad de expresión conlleva obligaciones y responsabilidades y que la práctica de ese derecho puede ser calificada en formas que están prohibidas por la ley para así, entre otras cosas, proteger los derechos de otros.

Tal derecho, por supuesto, no es menos importante, y es el que se refiere al respeto por la vida privada y la familiar, el hogar o la correspondencia de un individuo.

¿Qué es público y qué es privado? Tema latente y recurrente; polariza en una discusión interminable. Oscila su importancia, como cuando la vida privada de los personajes mexicanos pasó a convertirse en noticia de primera plana en los periódicos. O irrita, como cuando se adjudicó a los *paparazzi* la responsabilidad del accidente en que perdió la vida Lady Diana. En México, la discusión se ha focalizado principalmente en la salud de las personas públicas y su patrimonio. El primer tema generó fuertes discusiones entre la audiencia, pero sobre todo, silencio de los actores. El tratamiento médico con antidepresivos que se aplicaba al entonces presidente Vicente Fox no fue desmentido cuando se dio a conocer en 2003; pasaron casi dos años para que, durante una entrevista en la televisión estadounidense, dijera que no era cierto. Algo similar sucedió con la ex dirigente magisterial Elba Esther Gordillo, quien tardó más de cinco años en reconocer que padecía hepatitis C.[90] El tema de la salud nunca fue del mayor interés de la prensa del país, pese a la importancia de conocer el estado en que se encuentran sus líderes.[91] Sobre hacer públicas las declaraciones patrimoniales de quienes asumen un cargo donde tomarán decisiones colectivas en nombre de la sociedad, la discusión, que parecía encaminarse —por conducto de la presión de los medios— para que ello se institucionalizara y convirtiera en una obligación legal, terminó en la total opacidad en 2013, cuando la Suprema Corte de Justicia de la Nación determinó que son confidenciales,[92] con lo cual estableció que solo se podrán conocer cuando se hagan públicas en forma voluntaria.

La discusión sobre lo público y lo privado ha generado siempre la pregunta de cuáles son los límites de la prensa y de la sociedad. Sin pretender resolver el conflicto en forma permanente, pero en búsqueda de un primer marco con normas aceptadas por todos, la Comisión de Quejas contra la Prensa de Inglaterra elaboró un código de prácticas que establece —en sus 18 puntos—[93] las siguientes proposiciones relacionadas directamente con la privacidad:

Privacidad

Las intrusiones e investigaciones de la vida privada de un individuo sin su consentimiento —incluido el uso de telefotos para tomas gráficas de la gente en propiedad privada sin su venia— no son aceptadas en lo general, y la publicación de ellas solo puede justificarse si prevalece el interés público.

(Nota: la propiedad privada es definida como cualquier residencia particular, junto con su jardín y sus exteriores, pero excluyen el estacionamiento. Asimismo, se identifica como tal la habitación de un hotel —no sus pasillos u otras áreas de este—, y aquellas partes de un hospital o asilo donde los pacientes son atendidos o acomodados.)

Aparatos de escucha

A menos que sea justificado por el interés público, los periodistas no podrán allegarse o publicar material obtenido mediante aparatos de escucha clandestinos o por medio de la intercepción de conversaciones telefónicas privadas.

(Nota: en varios países, como México, escuchar clandestinamente conversaciones telefónicas es un delito estipulado por la ley.)

Hospitales

Los periodistas y fotógrafos que busquen información en hospitales o instituciones similares deben identificarse frente a un funcionario de la institución y obtener los permisos antes de ingresar a las áreas restringidas al público en general.

Intrusión en momentos de dolor y choque emocional

En casos relacionados con dolor o choque emocional, la investigación periodística debe ser llevada a cabo con cuidado y discreción.

114

Parientes e inocentes

A menos de que sea contrario al derecho de la gente a saber, los medios deben evitar identificar a los parientes o amigos de personas convictas o acusadas de crimen.

Los niños

Los periodistas no deben entrevistar o fotografiar a niños menores de 16 años sobre temas vinculados con el bienestar personal del infante en ausencia o sin el consentimiento de un padre o un adulto responsable del niño.

No se debe aproximar o fotografiar a un niño mientras está en la escuela sin el permiso de las autoridades de la institución.

Los niños y los casos sexuales

La prensa no debe, aun cuando la ley no lo prohíba, identificar a niños menores de 16 años que estén involucrados en casos que se refieran a ofensas sexuales, ya sean víctimas, victimarios o testigos.

En cualquier reporte de prensa que involucre una ofensa sexual contra un niño:

- El adulto debe ser identificado.
- El término "incesto" debe evitarse.
- La ofensa debe ser descrita como "seria ofensa contra un niño" o un fraseo similar.
- El niño no debe ser identificado.
- Debe cuidarse que nada en el reporte implique la relación entre el acusado y el niño.

Víctimas de crimen

La prensa no debe identificar a las víctimas de un asalto sexual o publicar material que probablemente contribuya a su identificación, a menos que, por ley, estén libres de hacerlo.

Discriminación

La prensa debe evitar referencias con prejuicios o peyorativas a la raza, el color, la religión, el sexo, la orientación sexual o cualquier enfermedad física, mental o incapacidad de una persona.

También debe evitar la divulgación de detalles de la raza, color, religión, sexo u orientación sexual de una persona a menos que sean relevantes en la información.

Nuevas dinámicas se incorporaron a los medios de comunicación mexicanos durante el gobierno de Felipe Calderón, que inició una lucha contra los cárteles de las drogas y la convirtió en el eje de su administración en términos estratégicos, presupuestales y de comunicación. En esta materia, la guerra contra las drogas y el problema de la inseguridad en México convirtió a las primeras planas de los periódicos y los noticieros de televisión en registro permanente de sangre y violencia, cuyo torbellino provocó enorme confusión y mostró las contradicciones y antagonismos en los medios, particularmente los impresos.

Algunos ejemplos pueden ilustrar las antípodas en las cuales se encontraban editorialmente los medios, como las dos informaciones que publicaron simultáneamente los periódicos *Reforma* y *El Universal* en 2008: días después del atentado con bombas el 15 de septiembre de ese año en Morelia, Michoacán, durante la ceremonia del Grito de Independencia, en la cual murieron tres personas, los periodistas recibieron en sus teléfonos celulares un mensaje de texto que era una declaración de Los Zetas, el cártel al cual se le adjudicaba el ataque, donde negaban su participación.

En su primera plana, a tres columnas, *Reforma* publicó como información el mensaje de Los Zetas; *El Universal*, debajo de una fotografía de Michoacán, publicó la de un teléfono celular donde el mensaje de texto que se veía no se leía. En lugar de reproducir lo dicho por Los Zetas, citó a un funcionario de la PGR que descalificaba la afirmación de los narcotraficantes.

Cuando aparecieron el mismo día esas informaciones, los dueños de *El Universal* llamaron la atención a su director editorial porque, en sus palabras, había "perdido" la información. En ese momento tenía el privilegio de dirigir *El Universal* y respondí:

1. Que mi criterio editorial no era reproducir textualmente lo que declarara un cártel de las drogas —principio que se extendía a *narcomantas* y *narcomensajes*—, porque lo entendía como el equivalente a un boletín de prensa, que solo transmitía un mensaje.

2. Que si por razones técnicas y éticas nunca se reproducen textualmente los boletines de un líder, figura pública o dependencia porque sería el equivalente a difundir propaganda, me parecía inaceptable difundir la propaganda de delincuentes.

Y *3.* Que editorialmente ningún medio podría permitirse dar el mismo trato editorial a una institución que a criminales.

En la lucha por la competencia informativa llegan a soslayarse criterios o, como ha sido el caso de *Reforma*, el argumento central es que no informar lo que dicen los cárteles de la droga es autocensurarse. El argumento es debatible, y podría plantearse para efectos de argumentación que por qué solo se aplica esa libertad de palabra a los narcotraficantes y no a los criminales en general. En todo caso, podría alegarse que no se trata de dejar de informar, sino de cómo informar y presentar la información, lo que nos lleva al segundo ejemplo.

El 31 de julio de 2008 la opinión pública conoció, por un desplegado en la prensa, que el joven Fernando Martí, hijo del empresario Alejandro Martí, había sido secuestrado y que estaban en proceso las negociaciones. Un día después, el cuerpo del joven fue encontrado en la cajuela de un automóvil al sur de la ciudad de México. Las investigaciones de las autoridades del Distrito Federal produjeron la detención de varios miembros de una banda de secuestradores identificada como La Flor, a la que responsabilizaban del hecho. El 22 de agosto de ese año, la Procuraduría General de Justicia del Distrito Federal identificó a Sergio Humberto Ortiz, apodado *el Apá*, como el autor intelectual del secuestro y crimen de Martí.

Dentro de las investigaciones periodísticas, los dos periódicos tuvieron acceso a una misma fotografía de Ortiz, en la cual aparecía con su esposa y sus dos hijos. De forma totalmente coincidental, ambos diarios publicaron la fotografía en la parte superior de su primera plana en la parte izquierda, a tres columnas. *El Universal* decidió digitalizar las caras de la esposa y los hijos, mientras que *Reforma* publicó la fotografía sin ningún tratamiento para ocultar la identidad de sus familiares. ¿Por qué digitalizar las fotografías?

1. La investigación estaba centrada en Ortiz, a quien públicamente se había identificado como líder de la banda de La Flor. La fotografía proporcionada a los diarios no sugería complicidad de la familia, sino que se entregó únicamente como parte del expediente, sin solicitar ningún tratamiento específico de la imagen.

2. La esposa y los hijos no estaban acusados de ningún delito. Por tanto, revelar visualmente sus identidades les causaba un daño moral en su vida cotidiana, como sucedió, con insultos, marginaciones y hostigamientos en lugares públicos.

3. Digitalizar las caras de los familiares de Ortiz no afectaba en absoluto el contenido editorial, que solo buscaba presentarlo ante la opinión pública. Tampoco significaba un auto de censura, por las mismas razones de no estar vinculados a ningún delito.

La fotografía reflejó de la manera más clara la falta de consenso en los medios de comunicación sobre temas éticos, que aunque fue tratado marginalmente por algunos observadores y especialistas en medios, no provocó ningún debate a favor o en contra de criterios editoriales tan encontrados. La eterna discusión sobre estos temas se ha enfocado fundamentalmente en la ética, cuando en realidad es un conjunto de criterios y prácticas lo que ayuda a resolver todos esos problemas sin presiones de tiempo y de una manera técnica, lo que a la vez soluciona el dilema ético. El caso de la cobertura del narcotráfico es el mejor para su estudio.

La cobertura sobre el narcotráfico no es tan compleja como se imaginan muchos, ni se requiere una convención nacional donde todos estén de acuerdo en qué hacer. Es bastante más fácil, cuando menos en la parte editorial, y lo mejor de todo es que su primera fase, que es la inmediata, no necesita que ningún medio se ponga de acuerdo con otro. Basta la voluntad del responsable editorial del medio para establecer una serie de procedimientos y políticas editoriales en un pequeño —por breve— código de prácticas que sea compartido y socializado con toda la plantilla editorial. Por eso, un código de prácticas es una herramienta que ayuda a transitar sin mayor problema y ante cualquier presión de tiempo, el que puede incluir:

1. De las imágenes

1.1 Evitar la sangre en los noticiarios y las publicaciones impresas. La difusión de escenas con sangre requiere pasar por el criterio de si al hacerlas públicas se envía o no el mensaje a los criminales de que ser delincuente tiene costos elevados. Cuando son personas ajenas a la delincuencia o quienes la combaten las que aparecen en las imágenes que desean ser difundidas, siempre hay que ponerse en el lugar de los familiares de estas víctimas y tratar de entender qué es lo que sentirán cuando vean asesinada a una persona tan cercana a ellos y cómo lo pueden procesar. Este proceso periodístico es un ejercicio ético indispensable para minimizar el daño.

1.2 Evitar que las escenas de sangre incluyan a personas que no están asociadas con delincuentes. Nunca difundir imágenes de personas afectadas en daños colaterales, y procurar que tampoco se hagan públicas aquellas donde aparecen autoridades, militares o policías. Hay casos de excepción que requieren ser tratados casuísticamente, y que tienen que ver con la prominencia de la víctima.

1.3 Cuando una escena de sangre involucra a una persona prominente o se considera que debe ser publicada por su magnitud o por lo inédito del caso (*v.g.,* los bombazos en Morelia el 15 de septiembre de 2008, o matanzas como la de La Marquesa, en el Estado de México, el 13 de septiembre de ese mismo año), la recomendación es que sean tomas o encuadres generales, que no entren al detalle.

1.4 Las escenas de sangre que tienen un valor periodístico en sí mismo, por consideraciones como las señaladas anteriormente, pueden ser difundidas en blanco y negro, no en color. De esta manera se reduce el impacto visual sin alterar el contenido.

2. Del contenido

2.1 La existencia de *narcomantas* y *narcomensajes* se registra si su contexto tiene relevancia (la cual cada medio, en función de su política editorial, tiene que establecer), no así los contenidos.

2.2 Difundir el contenido de un mensaje del narcotráfico no significa dar equilibrio a una información. Este planteamiento de algunos periodistas es una falacia, puesto que el equilibrio informativo se da a partir de dos factores: que las fuentes de información se manejen dentro de la legalidad, y que la información sea verificable.

2.3 La no difusión de los contenidos no significa que el medio no pueda y deba hacer su propia investigación sobre lo que ahí se establece, pero reproducirlo acríticamente, como se ha hecho hasta ahora, es como difundir un boletín, que se sabe de antemano tiene una intención propagandística, aunque en esta ocasión es elaborado por un criminal.

2.4 ¿Es válido entrevistar a un narcotraficante que se encuentra prófugo de la justicia? En mi opinión no, por una serie de considerandos que tienen que ver con la seguridad del periodista y del medio. Sin embargo, hay corrientes de opinión que piensan de manera distinta, estimuladas por el diálogo que sostuvieron Ismael *el Mayo* Zambada, uno de los jefes del Cártel de Sinaloa, y el decano de la prensa mexicana, Julio Scherer García. El criterio tiene que ser establecido por cada medio, que deberá tomar en consideración aspectos de seguridad, de transparencia informativa y de calidad de la información.

3. Del lenguaje
   3.1 Se deben eliminar las palabras obscenas de los medios de comunicación, porque si el mundo está poblado de símbolos que solo se entienden por medio del lenguaje, generan un lenguaje frívolo que reduce la capacidad analítica al disminuir el trabajo de la mente.
   3.2 Se debe corregir la adopción del lenguaje de los criminales, que ha llegado a excesos como utilizar la palabra *levantón*, convertida en sinónimo criminal de *secuestro*, para describir una detención lograda por el ejército, y llevarla a un terreno sin estridencias. ¿O es diferente decir *ejecutar* a *matar*?

4. Del contexto
   4.1 El contexto en las informaciones es vital. Si no se aporta, el periodismo falla en una de sus funciones primarias: explicar. Si no se explica no se entiende lo que sucede ni se da la jerarquía apropiada, ni se ve la dimensión de lo tratado.
   4.2 El contexto permite darle significado a la fría numeralia de víctimas en la guerra contra las drogas. El solo dato de muertos inyecta miedo. Pero si se cruza con otras variables, como edades de las víctimas, entorno familiar, condiciones de educación, laborales o incluso geográficas, se puede comenzar a profundizar, a partir del dato, en los orígenes y desarrollo del problema, y empezar a registrar, quizá, la ausencia o deficiencia de políticas públicas como uno de los detonadores de la violencia.

5. De los procedimientos de seguridad
   5.1 Ningún periodista debe ir delante de la policía. Hay periodistas con una gran experiencia e iniciativa que suelen llegar a los puntos conflictivos antes que la autoridad: esto

121

los coloca en alto riesgo, adicional a los que existen en esas zonas, y se vuelve sospechoso para las partes en conflicto. Hay que recordar que el conflicto tiene enemigos claros y que los medios tienen como propósito informar y explicar esa lucha lo mejor que puedan, en las condiciones en las cuales se desenvuelven.

5.2 Ningún periodista debe andar solo. Siempre debe hacer sus recorridos y coberturas en compañía de otros colegas. En las zonas de riesgo las exclusivas ceden su paso a la seguridad individual y colectiva de los periodistas.

5.3 Las redacciones deben establecer protocolos mínimos de seguridad para sus periodistas. Por ejemplo, que se cree la rutina de que se reporten cada hora con sus jefes inmediatos. Cuando existe este procedimiento y se rompe ese protocolo, se da aviso inmediato a la autoridad. La velocidad con que intervenga la autoridad competente puede ser la diferencia entre la vida y la muerte del periodista.

5.4 Ningún periodista puede ni debe ser héroe. Lo peor que le puede pasar a un periodista es ser él o ella misma la noticia.

5.5 El sexto sentido periodístico, que se encuentra en el estómago, llega a ser el más importante. No hay que hacer nada en lo cual exista miedo, porque paraliza, nubla el pensamiento y conduce a errores.

5.6 En el momento en que se sienta inseguro, esta es la llamada de alerta para irse de la zona en la que se encuentra. Sus jefes deben ser sensibles a esta situación que es absolutamente subjetiva.

En el fondo, lo que plantea este breve código es la puesta en práctica del sentido común; su aplicación salva vidas y mejora la calidad de la información. También es un regreso a lo básico: informar, explicar, contextualizar. Si se aplica adecuadamente se atiende también la parte ética, que no es un asunto necesariamente moral sino de competencia profesional. Un periodista incompetente invariablemente deriva en deficiencias éticas (*v.g.*, tergiversación de datos, invención de informaciones, fallas en los procesos de control y verificación de la información) que afectan al medio. Pero también un periodista incompetente es aquel que toma en forma acrítica la información que le dan y no hace las preguntas adecuadas. No es difícil. Bastaría recordar que una buena pieza o un texto periodístico debe responder seis preguntas: qué, quién, cuándo, dónde, cómo y por qué. Las cuatro primeras establecen la noticia; la quinta aporta la narrativa, y la sexta da el significado, la profundidad y la trascendencia.

Para todo esto no se necesita el concurso de todos para ponerlo en práctica, sino la voluntad de hacerlo. Hay otros temas de gran incidencia en la cobertura del narcotráfico que no tienen que ver esencialmente con la parte editorial, sino con la empresarial. Una cobertura de calidad cuesta, y los propietarios de los medios están conscientes de ello, sin que hasta ahora hayan hecho algo concreto en ese sentido. ¿Cuáles serían los primeros pasos?: *a)* seguros de vida para periodistas que trabajan en zonas de riesgo; *b)* bonos extraordinarios en sus salarios el tiempo que dure la comisión; *c)* financiamiento total para cursos de capacitación sobre coberturas en zonas de riesgo; *d)* apoyo total para sus periodistas.

Todo este catálogo de prácticas, recomendaciones e ideas, no puede ser efectivo si no se parte de un principio: que cada medio defina claramente de qué lado está. Parece un alegato ocioso, pero no lo es. En los medios mexicanos suele confundirse de qué lado están sus periodistas —no sus propietarios, por cierto—, si de aquellos que se manejan dentro de la legalidad, o del lado de los criminales.

En el ejercicio de la libertad de prensa se llega a veces a la radicalización y a la confusión de objetivos. El que un periodista opte por manejarse dentro de los parámetros de la legalidad y coincida con la autoridad, no significa que le otorga el apoyo incondicional a sus acciones y sus dichos. Ubicarse en el lado de la legalidad y coincidir en esto con el gobierno tampoco significa dejar de disentir con la autoridad, de criticarla y de estar incluso en sus antípodas.

Lo único que quiere decir es que no está del lado de los criminales; solo eso. En España, por ejemplo, los medios españoles se refieren a ETA como una banda terrorista, y aquellos que la consideran en otra categoría —como nacionalistas o luchadores de la libertad vasca—, se asumen y son vistos como medios etarras. En Colombia, los medios no han tenido duda de que los adversarios del gobierno, los narcotraficantes, son también sus adversarios, lo que no los hace cómplices del gobierno o sus incondicionales.

Es un asunto de legalidad y transparencia, no de libertad de expresión. Pero si un medio o un periodista deciden que sus intereses se encuentran más cerca de aquellos de los criminales, es su decisión y asumirá el costo; su libertad también le alcanza para ello. En ese caso, un código de prácticas le es inservible, lo que necesitará será un manual de sobrevivencia. Para el resto de nosotros en los medios, regresar a lo básico será el mejor comienzo.

No son, como se ha visto, temas fáciles de abordar ni en los que sea sencillo lograr consensos o normas convencionales. Modificar los patrones de comportamiento y regular la conducta profesional de medios y periodistas no es una tarea cuya responsabilidad sea solo de ese sector: el gobierno y los grupos económicos que usan a la prensa para sus fines también deben contribuir al cambio. Pero medios y periodistas no deben esperar a que eso suceda, necesitan tomar la iniciativa para impulsar la transformación. El reto y los desafíos son difíciles, el camino será largo, pero nunca será tarde para comenzar y retomar un sendero extraviado a fin de que medios y periodistas recuperen su papel de vanguardia de la sociedad —perdido hace tiempo— y dejen de ubicarse en la retaguardia en que, cómodamente, se encuentran instalados.

NOTAS

[1] Esta es la definición de la Organización de Naciones Unidas para la Educación, la Ciencia y la Cultura, citada por el periodista Rogelio Hernández en

una ponencia en el I Encuentro de Intercambio y Análisis de Trabajadores de la Comunicación, ciudad de México, 22 de noviembre de 1991.

[2] Vicente Leñero y Carlos Marín sostienen que el reportero es el sujeto clave del periodismo informativo, quien recoge noticias, hace entrevistas, realiza reportajes y está en contacto con los hechos. Además señalan que, por ser el proveedor de la materia prima del periodismo, el reportero es la pieza clave de toda institución periodística. Los autores establecen que las cualidades idóneas del reportero son la vocación, el sentido periodístico, la aptitud, la honradez, la tenacidad, la dignidad profesional, la iniciativa, la agudeza y la salud. *Manual de periodismo,* México, Grijalbo, 1986, pp. 24, 26-27.

[3] Wolfe, Tom, *El nuevo periodismo,* Barcelona, Anagrama, 1988, p. 10.

[4] Máximo, *El País,* 4 de mayo de 1986, p. 12.

[5] *Ídem.*

[6] Bolch, Judith, y Miller, Kay, *Investigative and In-Depth Reporting,* Nueva York, Hastings House, 1978, p. 15.

[7] Máximo, *loc. cit.*

[8] Bolch y Miller, *loc. cit.*

[9] Cebrián, Juan Luis, *La prensa y la calle,* Madrid, Nuestra Cultura, 1980, p. 44.

[10] Servan-Schreiber, Jean-Louis, *El poder de informar,* Barcelona, Dopesa, 1973. Citado en Cebrián, Juan Luis, *loc. cit.*

[11] El reportero de investigación Seymour Hersh batalló por meses para que su revelación sobre la matanza de cientos de civiles, mujeres y niños incluidos, que cometió el teniente William L. Calley en la aldea de My Lai en 1968, fuera conocida por el mundo un año después. Por esa información, Hersh logró un Premio Pulitzer.

[12] Manuel Arvizu, reportero de *La Prensa,* logró en 1961 adelantar una información que lo colmó de honores y prestigio. A raíz de esa primera primicia fue invitado a trabajar en *Excélsior,* donde varios años formó parte de una redacción integrada por notables figuras cuyos nombres son todavía leyenda en el periodismo mexicano.

[13] La información de José Dudet a ocho columnas en *Excélsior* provocó una de las confrontaciones más severas entre aquel periódico dirigido por Julio Scherer y el gobierno de Luis Echeverría. El entonces secretario de Hacienda, José López Portillo, declaró a la televisión privada que *Excélsior* había sacado esa información de "la basura", pues era un proyecto desechado. Las relaciones gobierno-*Excélsior* nunca volverían a ser iguales, hasta la salida de Scherer y varias decenas de sus colaboradores el 8 de julio de 1976.

[14] El fotógrafo *freelance* Claude Urraca recibió el *tip* de que "algo" podía suceder en Granada, ante ello hizo a un lado su trabajo en Centroamérica y voló hacia esa isla del Caribe que, en octubre de 1983, fue invadida por infantes de marina de Estados Unidos.

[15] El IFAI (Instituto Federal de Acceso a la Información Pública) nació con la promulgación de la Ley Federal de Transparencia y Acceso a la Información Pública Gubernamental, una reforma de segunda generación democrática, durante el gobierno de Vicente Fox. En 2007, la reforma al artículo 6° constitucional estableció que el derecho a la información pública es un derecho fundamental.

[16] El periódico *The New York Times* ganó el Premio Pulitzer en 2013, en la categoría de Reportajes de Investigación, por una serie de trabajos sobre las denuncias de corrupción de Walmart en México, en la que el papel de la reportera mexicana Alejandra Xanic fue fundamental para documentarlas.

[17] Eduardo García Téllez era el reportero que cubría la fuente policiaca para *El Universal*. Cuando se difundía la noticia del atentado a León Trotski en 1940, se estrecharon las medidas de seguridad en el hospital donde el revolucionario agonizaba. García Téllez habló con unos amigos y arregló para que lo recogieran en una ambulancia de la Cruz Verde, como un supuesto atropellado. De esa forma logró ingresar al nosocomio, y una vez adentro, ataviado con una bata blanca, recorrió pasillos y pisos hasta dar con Trotski y enterarse de su muerte. La exclusiva del asesinato es una de las más grandes noticias en los anales del periodismo mexicano.

[18] En 1963, el presidente John F. Kennedy viajó a Dallas, Texas. En la caravana viajaban cuatro reporteros y un asistente del mandatario en una limusina de la Casa Blanca, equipada con un teléfono de radio, cuando de pronto se escucharon varios disparos. Merriman Smith, de la agencia UPI, que se encontraba en el asiento del frente, entre el chofer y el asistente, agarró el teléfono del piso y llamó a la oficina de UPI en Dallas para informar que se había disparado sobre la caravana. En el asiento de atrás, Jack Bell, de la agencia AP, le exigió que le diera el teléfono para informar a su oficina, pero Smith se negó.

Bell empezó a saltar hacia el asiento frontal mientras golpeaba a Smith, quien se metió debajo del tablero para continuar con su comunicación. Casi cinco minutos después, al llegar al hospital, Smith le dejó el teléfono a Bell, pero ya era demasiado tarde: había perdido la información.

[19] Miguel Castillo y Antonio Reyes Zurita fueron los fotógrafos enviados para la cobertura de las Olimpiadas de Moscú por el periódico *Excélsior*.

[20] Riva Palacio, Raymundo, "De cara al futuro", en *Revista Mexicana de Comunicación,* México, agosto de 1990, p. 51.

[21] Trejo Delarbre, Raúl, "Periódicos: ¿Quién tira la primera cifra?", en *Cuadernos de Nexos,* México, junio de 1990, p. I.

[22] El movimiento que puede ser considerado parteaguas del sistema político fue la llamada Corriente Democrática, inspirada por el entonces embajador de México en España, Rodolfo González Guevara, y el ingeniero Cuauhtémoc Cárdenas. La corriente se derivó de una escisión en el PRI durante el proceso de selección de candidato en 1987, cuando un grupo de priistas destacados, entre los cuales también estaba Porfirio Muñoz Ledo, exigió al entonces presidente

Miguel de la Madrid que el método de selección fuera incluyente. Ante la negativa, la mayoría de ellos renunció al PRI y formó un frente de izquierda que nominó a Cárdenas a la presidencia en 1988, convirtiendo esa amalgama de fuerzas en lo que hoy es el PRD.

[23] Parametría, 2 de agosto de 2011.

[24] Rivers, William L., *Writing: Craft and Art*, Englewood Cliffs, Nueva Jersey, Prentice-Hall, 1975, p. 31.

[25] Ross, Lillian, *Reporting*, Nueva York, Simon and Schuster, 1964, e introducción de 1981.

[26] Rivers, *op. cit.*, p. 6.

[27] Cappon, Rene J., *The Associated Press Guide to News Writing*, edición revisada, Prentice-Hall, 1991, p. 1.

[28] *Ídem.*

[29] *Ídem.*

[30] *Ibíd.*, p. 122.

[31] Para comprender a plenitud el fenómeno del multiculturalismo se recomienda leer el artículo de Thomas Sowell "Una visión mundial de la diversidad cultural", publicado en la revista *Society* de la Universidad Estatal de Rutgers, noviembre-diciembre de 1991, p. 39.

[32] Rivers, *op. cit.*, p. 39.

[33] *Ídem.*

[34] *Ídem.*

[35] Cappon, *op. cit.*, p. 3.

[36] "Politics and the English Language", 1946.

[37] Golden, Soma, ex editora de la sección nacional de *The New York Times*. Seminario en el Joan Shorenstein Barone Center de la escuela John F. Kennedy de la Universidad de Harvard, 10 de diciembre de 1991.

[38] Cappon, *op. cit.*, p. 7. También se recomienda leer la charla "El estilo periodístico", que expuso Manuel Buendía el 21 de febrero de 1984 en la Secretaría de Educación Pública, reproducida en su libro *Ejercicio periodístico*, Océano/ Fundación Manuel Buendía, 1985.

[39] Murray, Donald M., en *The Writer*, enero de 1992, p. 14.

[40] Lippmann, Walter, *Public Opinion*, Nueva York, Free Press, 1965, p. 55.

[41] *Ibíd.*, p. 76.

[42] Rivers, *op. cit.*, p. 61.

[43] Charnley, Mitchell V., *Reporting*, Nueva York, Holt, Rinehart and Winston, 1966, p. 166.

[44] *Ibíd.*, p. 167.

[45] *Ídem.*

[46] No fue así con la estructura conocida como "pirámide invertida", cuya entrada demanda que la noticia comience en su punto culminante o más relevante. De esta manera se atrae la atención del lector y se le ahorra tiempo.

La entrada es el trampolín desde el cual el reportero salta a la noticia; una buena entrada permite recorrer con rapidez e interés la nota. Buscar los elementos de la información que puedan ser aprovechados para la entrada parece ser un reto permanente en las brillantes pantallas de la sala de redacción.

El incidente o suceso importante debe ser seleccionado para la entrada, el resto de la nota periodística se construye con la información que sustenta el inicio; se procede a escoger los datos que le siguen en importancia y así sucesivamente. Al jerarquizar la información, la nota adquiere la forma de una pirámide invertida.

Aunque el párrafo final puede redondear la noticia en su conjunto, con una conclusión, debe mantenerse la precaución porque generalmente los últimos párrafos suelen suprimirse por razones de espacio. Las notas periodísticas que se ajustan a la estructura de la pirámide invertida permiten conocer la información esencial en los párrafos iniciales e impiden lagunas en el lector.

[47] Cappon, *op. cit.*, p. 73.

[48] *Ibíd.*, p. 108.

[49] "La ruta de la ilusión: México lindo y querido", *Reforma*, 14 de mayo de 1996.

[50] Un buen texto sobre las características del periodista se encuentra en el libro *Ejercicio periodístico* de Manuel Buendía, México, Océano / Fundación Manuel Buendía, 1985: "Desempleo y otras perspectivas en el periodismo".

[51] Martínez Albertos, José Luis, *Redacción periodística: los estilos y los géneros en la prensa escrita*, Barcelona, A.T. E., 1974, p. 77.

[52] Alonso, Martín, citado en Ibarrola, Javier, *El reportaje*, México, Gernika, 1994.

[53] Dovifat, Emil, citado en Ibarrola, *op. cit.*

[54] Ibarrola, *op. cit.*, p. 27.

[55] Blundell, William E., *Storytelling Step by Step*, Dow Jones & Company, 1986, Introducción.

[56] *Ídem.*

[57] Se recomiendan como lecturas: Martín Vivaldi, Gonzalo, *Géneros periodísticos*, Madrid, Paraninfo, 1973; Leñero, Vicente, y Marín, Carlos, *Manual de periodismo*, México, Grijalbo; y *Libro de estilo* de *El País*, edición revisada, 1990.

[58] Malcolm, Janet, *El periodista y el asesino*, Barcelona, Gedisa, 2004.

[59] Klaidman, Stephen, y Beauchamp, Tom L., *The Virtuous Journalist*, Nueva York, Oxford University Press, 1987, p. 4.

[60] La definición aparece en el juicio número 59 del 6 de julio de 1960 de la Corte Constitucional italiana, citado en Keane, John, "Democracy and the Media", en *International Social Science Journal* Núm. 43, agosto de 1991, p. 524.

[61] Klaidman y Beauchamp, *op. cit.*, pp. 23-25.

[62] El abogado Diego Fernández de Cevallos fue secuestrado el 14 de mayo de 2010, y liberado el 20 de diciembre del mismo año. Sin embargo, *El Universal*

publicó a ocho columnas el 27 de noviembre que Fernández de Cevallos había sido liberado. El diario no verificó la versión que tenía con ninguna autoridad, y tardó tres días en admitir que se había equivocado.

[63] Bajo el cabezal de portada "El lanal de Panamá", el periódico *Reporte Índigo* denunció el 16 de mayo de 2012 que Luis y Eduardo Osorio Chong, hermanos de Miguel Ángel Osorio Chong, coordinador de diálogo y acuerdo político de la campaña presidencial de Enrique Peña Nieto, había realizado transferencias bancarias por 100 millones de dólares a cuentas en Panamá. Ante la amenaza de una demanda por difamación, el periódico se retractó y reconoció como falsa la información que había publicado.

[64] *Milenio*, "Ninguna cámara captó el levantón en la Zona Rosa", 31 de mayo de 2013.

[65] *El Universal*, 1 de junio de 2013.

[66] Hulteng, John L., *The Messenger's Motives: Ethical Problems of the News Media*, segunda edición, Nueva York, Prentice-Hall, 1985, p. 5.

[67] *Ídem.*

[68] Bailey, Charles W., "Journalism Ethics: What's Gone Wrong?", en *Nieman Reports* Núm. 44, Universidad de Harvard, verano de 1990, p. 9.

[69] Christians, Clifford; Rotzoll, Kim B., y Fackler, Mark, *Media Ethics*, citados por Hulteng, *op. cit.*, p. 7.

[70] Hulteng, *op. cit.*, p. 6.

[71] Kovach, Bill, Seminario sobre ética periodística en la Fundación Nieman, Universidad de Harvard, enero de 1992.

[72] Algunos de los artículos más importantes en las cláusulas de conciencia en *El País* (*Libro de estilo*, sexta edición, septiembre de 1990, p. 513) incluyen los siguientes:

Artículo 6: "Ningún miembro de la Redacción estará obligado a firmar aquellos trabajos que habiéndole sido encomendados o que, realizados por propia iniciativa, hayan sufrido alteraciones de fondo que no sean resultado de un acuerdo previo. Las normas de estilo no podrán ser fundamento para invocar la cláusula de conciencia. Ni dichas normas de estilo ni las modificaciones en los sistemas de trabajo podrán alterar el contenido de este Estatuto".

Artículo 7: "Cuando dos tercios de la Redacción consideren que una posición editorial de *El País* vulnera su dignidad o su imagen profesional, podrán exponer a través del periódico, en el plazo más breve posible, su opinión discrepante".

[73] Siebert, Fred S.; Peterson, Theodore, y Schramm, Wilbur, *Four Theories of the Press*, Chicago, University of Illinois Press, 1963, p. 2.

[74] *Ibíd.*, p. 3.

[75] Hulteng, *op. cit.*, p. 9.

[76] Colburn, John H., "Understanding the Role of the Press", en *Nieman Reports*, Universidad de Harvard, septiembre de 1971, p. 13.

[77] Shaw, David, *Responsibility and Freedom in the Press: Are They in Conflict? The Report of the Citizen's Choice*, National Commission on Free and Responsible Media, 1985, apéndice 2.

[78] Rubin, Bernard (ed.), *Questioning Media Ethics*, Praeger Publishers, 1978, p. 3.

[79] Estos conceptos forman parte del Código de Ética de la Sociedad de Periodistas Profesionales de Estados Unidos, conocida como Sigma Delta Chi, elaborado en 1973.

[80] *Ídem.*

[81] Willis, Jim, *Journalism: State of the Art*, Nueva York, Praeger Publishers, 1990, p. 36.

[82] Bollinger, Lee C., *Images of a Free Press*, Chicago, The University of Chicago Press, 1991, p. 44.

[83] Hulteng, *op. cit.*, p. 82.

[84] El periodista Jayson Blair, un joven de raza negra que llegó a *The New York Times* en el momento en que querían promover a periodistas no anglosajones y convertirlos en estrellas, fue descubierto de haber inventado declaraciones, simulado estar en coberturas periodísticas y plagiado reportajes de otros medios. Ante controles editoriales laxos, Blair incurrió en este tipo de violaciones éticas e imprecisiones en 36 de 73 reportajes que escribió entre octubre y abril de 2002-2003. Como resultado, el diario pidió la renuncia del director Howell Raines y del subdirector Gerald Boyd, de amplia y distinguida carrera en el periódico, el 5 de junio de 2003.

[85] Riva Palacio, Raymundo, "Ministerios de la verdad", en *Este País*, septiembre de 1991.

[86] Un interesante estudio de caso se encuentra en Scherer, Julio, *Historias de familia*, México, Grijalbo, 1989.

[87] Citado en Thomson, James C., "Journalistic ethics: some probings by a media keeper", en *Questioning Media Ethics*, Praeger Publishers, 1978.

[88] Estos materiales fueron publicados por *Reforma* entre 1995 y 1996 y provocaron agrias reacciones internas y externas. La publicación de la fotografía de Raúl Salinas de Gortari y María Bernal dividió al cuerpo de articulistas casi por la mitad. Mi punto de vista, expresado durante una reunión de editorialistas de *Reforma* al poco tiempo de ser publicada la fotografía, era que se había violado la privacidad de los dos, puesto que la relación sentimental no estaba a discusión —de hecho, María Bernal la había reconocido en una declaración ministerial—, porque no se proporcionaba un contexto a la fotografía y porque la publicación de esa foto sin contexto ni información periodística explicativa que la acompa-

ñara, para lo único que serviría era para desvirtuar la investigación, provocando un juicio moral sobre Salinas de Gortari y pervirtiendo, de esa forma, el proceso legal en curso. Un punto de vista radicalmente opuesto era aplicable sobre la carta de Zedillo a Colosio y las relaciones personales de Córdoba y Gamboa con Bodenstedt. En el primer caso, y a diferencia del propio presidente Zedillo, que se quejaba de que se había violado su privacidad, el hecho era que la carta se escribió en papelería y formato de la campaña presidencial, y que fue dirigida del coordinador de campaña al candidato. Estos detalles no eran triviales, sino que conformaban el contexto en el cual se dio esa comunicación y la ubicaban en el terreno de lo oficial, por lo cual se convertía, habida cuenta de la trascendencia del tema, en un asunto de interés público. En el segundo, la decisión era aún más fácil, aunque era lo que mejor reflejaba el dilema: las relaciones de Córdoba y Gamboa con Bodenstedt representaban un riesgo para la seguridad nacional de México, pues no solo abrían el camino al narcotráfico, interesado en obtener información privilegiada y de altísima calidad, sino que además hacía de los funcionarios presas fáciles del chantaje. Por ello, si bien era un asunto privado el que tuvieran relaciones íntimas, los nexos de Bodenstedt con el narcotráfico y el riesgo político que ello implicaba, hacían el asunto de interés público y sujeto al escrutinio de los medios.

[89] *Privacy and Media Intrusion. The Government's Response*, Departamento de Herencia Nacional, Gobierno de la Gran Bretaña, julio de 1995.

[90] El autor publicó en septiembre de 2003 en *El Universal* que el entonces presidente Vicente Fox estaba medicado con el antidepresivo Prozac. En mayo de 2005, en *El Universal*, informó que la maestra Elba Esther Gordillo padecía de hepatitis C y que se estaba tratando en Estados Unidos.

[91] Véase Riva Palacio, Raymundo, "El derecho de saber", en *El Universal*, 18 de julio de 2005.

[92] El 20 de junio de 2013, ocho de los 11 ministros de la Suprema Corte de Justicia respaldaron la confidencialidad de las declaraciones patrimoniales.

[93] Press Complaints Comission, reporte Núm. 23, enero-febrero de 1994, p. 36.

II

En busca de la noticia

¿Qué es la noticia? Esta es la pregunta más importante y difícil que pueda hacerse a un periodista. ¿Cómo definirla? Muchas veces la contestación se da en una no-respuesta: la noticia no se ve, se siente. Si uno parte del aspecto cognoscitivo, tal respuesta, sustentada en la intuición, podría ser tomada como válida, como de hecho ocurre innumerables veces. Pero entonces, ¿cómo se adquiere esa intuición? ¿Cuánto tiempo debe pasar para que una noticia se sienta? Una respuesta objetiva a estas preguntas mostraría el sofisma de la primera definición.

ENTONCES ¿QUÉ ES UNA NOTICIA?

Los diccionarios suelen definir noticia como el reporte de un suceso reciente, una información novedosa, un asunto de interés para el mayor número de lectores. La definición es correcta, pero sumamente limitada, puesto que diferentes medios tienen distintos mercados de consumidores de información, y estos medios y mercados se mueven en sociedades diferentes en historia, cultura y tradiciones.

De esta forma, una información de *El Financiero* puede ser de total irrelevancia para un lector de *La Prensa* y viceversa, pero una información de interés nacional que aborden prioritariamente ambos medios puede ser de completa irrelevancia para un lector guatemalteco o uno estadounidense. Esto nos lleva a la siguiente conclusión: una información no deja de ser válida por el hecho de que no interese a distintos grupos sociales, como tampoco se invalida si no tiene un impacto global.

Definir noticia es un proceso que, aunque no se encuentra distanciado de la teoría, tampoco puede aclararse dentro de ella. Por ello, periodistas y profesores dedicados al periodismo en varios países han establecido seis puntos que uniforman un criterio sobre lo que es una noticia:

1. *Impacto.* La magnitud de un acontecimiento o de una idea en términos de a cuántas personas afecta o influye, determina su valor noticioso.
2. *Proximidad.* Entre más cercano es un acontecimiento o el impacto de una idea, mayor será su impacto y valor noticioso.
3. *Oportunidad.* Cada día se escribe la historia del futuro.
4. *Prominencia.* Entre más famosa sea una persona, mayor será la noticia.
5. *Novedad.* Lo inusual, lo raro, aquello sin precedente.
6. *Conflicto.* Toda guerra, todo desastre, toda catástrofe es noticia mundial. De igual forma, la política y el crimen logran titulares por doquier.

El periodismo es una profesión de continuo aprendizaje. Los reporteros nunca terminan de formarse y diariamente hacen acopio de nuevos recursos; cuando un reportero considera que ya aprendió todo lo que tenía por aprender, comenzará su declive. Si jamás sacia su hambre de conocimiento, si nunca pierde la curiosidad, cada día será mejor y más completo en su oficio.

Una buena información

Un buen periodista siempre está a la caza de buena información. Pero, una vez más, la pregunta que se hacen los periodistas por dentro es: ¿qué es lo que hace a una buena información?

Una forma de responder es tomando en cuenta las características de una buena nota periodística:

1. *Información.* Esto es, la materia prima, la cual debe ser recogida en una forma escrupulosa y seria. Un buen reportero no fundamenta sus textos en la prosa, que si bien es importante en función de la mejor calidad, no es lo fundamental en el periodismo. Un buen texto informativo no debe descansar en trucos retóricos ni en el manejo literario de la redacción, sino en la solidez de los datos y en la revelación de los detalles, que hacen que una nota se distinga del resto.

2. *Significado.* ¿Es importante para el lector mexicano la protesta de una ley inquilinaria en Tokio? ¿Es importante para un lector japonés un congestionamiento de cuatro horas en el Periférico de la ciudad de México? En ambos casos, la respuesta es no. Para que una información tenga impacto, debe ser de relevancia para el consumidor de la misma, debe reflejar una situación que, por muy lejos que se haya producido, tenga elementos de interés para un mercado específico: ¿es importante para un lector japonés la irrupción de un grupo de manifestantes en contra de la ley inquilinaria en la Cámara de Diputados mexicana? La respuesta debe ser afirmativa, pues al explicar cómo una protesta urbana se puede rebelar contra un parlamento, se trazan analogías naturales donde se explican o se justifican comportamientos locales de otras sociedades.

3. *Contexto.* Si el significado es importante por la manera en que impacta un hecho a un grupo social, el contexto es de suma relevancia en tanto explica cómo se dio ese determinado hecho y permite entender la profundidad y la importancia del mismo. La perspectiva, que es lo que se busca con el contexto, es de vital importancia para que el lector pueda determinar dónde terminará el hecho del cual se informa. El contexto aporta mayor calidad a la nota, y aunque en ocasiones basta

con un solo párrafo (de preferencia el tercero o cuarto) para satisfacer ese requisito, es mejor que la contextualización se vaya tejiendo a lo largo de toda la información.

4. *Forma.* El fondo, en cuanto a la redacción periodística, no lo es todo. Quien escriba una información debe ser capaz de darle un formato que permita al lector tener la sensación de que ha leído algo completo y redondo; es decir, debe producirle un sentimiento de satisfacción, como el que se experimenta tras una suculenta comida.

Estos cuatro puntos no son todos los que conforman una buena información, pues no hay receta que proporcione un catálogo homologado de recomendaciones para confeccionar una noticia, un reportaje, una entrevista o una crónica. Sí son, en cambio, un piso y un punto de partida en el continuo proceso de aprendizaje del reportero.

Una buena información debe contar, necesariamente, con un buen arranque: una entrada atractiva. Y este es, precisamente, el párrafo más difícil en toda información, donde el reportero se enfrenta al momento que quizá es el más traumático de todo el quehacer periodístico: la hoja en blanco.

Obtener una buena entrada (un buen *lead,* como se conoce al primer párrafo en la jerga reporteril) es crucial en la redacción periodística. Es lo que provoca el interés de un lector, lo que lo engancha e impide que salte a la columna de junto o que cierre el periódico.

Al lector hay que atraparlo párrafo tras párrafo, seducirlo para que lea, y persuadirlo de que continúe hasta el final. Lograr una buena entrada no solo tiene que ver con la experiencia —que ayuda— sino con el trabajo que se dedica a la redacción, segunda redacción y tenacidad obsesiva en presentar impecable el producto periodístico.

No hay límite de veces para repetir una entrada. No debe haberlo; un buen reportero escribe su idea y la pule, la corrige, la depura, la moldea y también la saborea. La entrada establece el significado de la información, le da dirección, le imprime ritmo y le da tono. Si la entrada no atrapa con estos anzuelos, es mala. Hay que recordar que la redacción del *lead* es la clave de la redacción periodística.

Paquete de recomendaciones

Fórmulas exactas de aplicación universal para redactar una entrada no existen. Sí hay, en cambio, un paquete de recomendaciones que permiten al reportero crear las mejores condiciones para escribir su primer párrafo:

1. *Estar relajado.* Al empezar a escribir uno tiene que estar consciente de que se introduce en un proceso doloroso; si al terminar de hacerlo no siente dolor o fatiga, quiere decir que no se esforzó lo suficiente. Por eso es importante estar relajado, a fin de permanecer dispuesto a escribir una entrada cuantas veces sea necesario, hasta encontrar las conexiones que hacen que el lector caiga en la red tendida por el periodista.

2. *Hay que pensar en el lector.* Nunca escribimos para nosotros mismos. Siempre hay que pensar en quién es el destinatario de nuestra información. ¿Qué es lo que le interesa? ¿Qué atraerá su atención? ¿Qué elementos lo persuadirán a continuar leyendo? Es necesario recordar que las entradas se leen rápido y una sola vez. Entonces, si el *lead* no es claro, habremos perdido al lector.

3. *Brevedad.* Es de vital importancia. Hay que tender a lo simple, sin que ello signifique ser simplista; por eso hay que redactar con frases directas, pues lo complicado produce párrafos farragosos, enrevesados de leer y más difíciles de comprender. El lector busca que le simplifiquen los acontecimientos, no que se los compliquen.

Lo anterior no significa que el lector quede insatisfecho con la entrada que leyó, sino todo lo contrario: debe quedar satisfecho con esa probadita de información que recibió y convencido de que tiene que seguir leyendo para terminar de saciarse.

4. *Honestidad.* Cuando alguien escribe una entrada entabla un diálogo con el lector. El lector entrega su disposición y fe en lo que está leyendo y en quien o quienes escribieron esa información. Por lo tanto, el periodista debe ser enteramente honesto con el público. Para ello, es importante que proporcione una información certera, donde cada dato sea comprobado escrupulosamente: los nombres, los puestos, las edades, las horas.

5. *Contexto.* También en la entrada, el periodista debe dar al lector los elementos que lo conecten con la información. El lector, por ejemplo, debe saber si lo que le presentan es un hecho aislado o forma parte de una tendencia; si lo que está leyendo tiene un impacto limitado o un efecto más general.

6. *Energía.* La energía no se relaciona con la presentación onomatopéyica de la información, que jamás debe ser empleada; tampoco se vincula con la exageración de la noticia, hecho conocido en la jerga periodística mexicana como *inflar la nota*, que también es criticable. La energía se deriva fundamentalmente de aquello que aceita las frases y que permite avanzar a las oraciones: los verbos. Por ello es preciso utilizar los verbos más simples, los más activos y los más apropiados para el significado y el tono de la historia. La multiplicidad en el uso de los verbos no hace una buena entrada y, generalmente, destruye un buen texto.

Las herramientas de la redacción periodística deben ser el acompañante permanente del reportero.

La arbitrariedad y el caos son enemigos de la redacción periodística. En contraste, la disciplina y el rigor son sus mejores aliados.

El dominio de las herramientas periodísticas requiere de un esfuerzo adicional, pero nada que valga la pena es sencillo de concretar. Cualquiera puede ser periodista, pero no todos llegan a ser buenos periodistas.

FRENTE A UN INTERLOCUTOR

La entrevista es un género periodístico muy utilizado, pero a la vez subutilizado. No hay ninguna contradicción en decir esto, porque la entrevista —que es la herramienta principal en el periodismo— solo la empleamos para obtener información, pero rara vez para presentar a fondo el pensamiento de una persona. Hay tres tipos de entrevista: informativa, de opinión y de semblanza.

La primera es aquella que se busca con el fin de obtener información noticiosa. La entrevista de opinión sirve para recoger comentarios y juicios de personajes sobre noticias del momento o sobre temas de interés permanente, que pueden estar o no en el escaparate de la actualidad inmediata. La entrevista de semblanza se realiza para captar el carácter, las costumbres, el modo de pensar, los datos biográficos y las anécdotas de un personaje: para hacer de él un retrato escrito.[1]

En el presente apartado nos referiremos a la entrevista de género, donde interesa más la persona que el acontecimiento.

Una buena entrevista requiere no solo de buenas preguntas y respuestas, sino además de una cuidadosa preparación y de una redacción atractiva para los lectores.

La entrevista de género se sostendrá solamente en las palabras del entrevistado, por lo que debemos ser capaces de extraer sus puntos de vista más atinados, novedosos y oportunos.

La mejor entrevista es aquella que tiene el ángulo más original. Lograrlo no es difícil pero sí muy laborioso, pues nos exige bastante lectura, mucho conocimiento de la persona escogida y del tema, así como un gran cuidado en la redacción.

Cada quien tiene su propia técnica para entrevistar, que puede ir perfeccionándose con la experiencia. No obstante, es preciso recordar que no hay entrevistado malo, sino mal entrevistador.

Por eso, trazamos a continuación unas líneas generales sobre lo que aspiramos sea el tratamiento, preparación y redacción de nuestras entrevistas de género:

Nuestra concepción

1. Una entrevista debe ser una conversación o un diálogo, no un monólogo.
2. Una entrevista debe ser una plática ágil y fluida.
3. Nunca debemos pretender que sabemos más que nuestro interlocutor, aun cuando se pudiera dar el caso. De llegar a suceder esa situación, sabremos que hemos agotado nuestra charla.
4. Debemos cuidar nuestra selección de preguntas, pues durante la entrevista no podemos rivalizar con el entrevistado.
5. Resulta fundamental permanecer atentos al lenguaje del cuerpo del interlocutor, para advertir sus reacciones a lo largo de la conversación. De esa manera podemos —para efectos de nuestra línea de preguntas— observar el impacto que tienen nuestros cuestionamientos y corregir si acaso hemos extraviado el rumbo.
6. Debemos ser incisivos, pero jamás irrespetuosos. Es preciso actuar con profesionalismo, seriedad y cortesía, cualidades invaluables en nuestro trabajo diario.

La preparación

Todo reportero debe prepararse para una entrevista. No es concebible llegar a ella sin un buen conocimiento de la persona y de los temas a tratar. Por nuestro trabajo, por nuestra propia imagen, no debemos incurrir en esa falta de profesionalismo. Por ello, se recomienda lo siguiente:

1. *Sobre la persona:* Nunca llegar a entrevistar a alguien sin saber quién es. Tenemos la obligación de conocer sus datos biográficos básicos. Si es un político, debemos saber cómo ha sido su paso por la vida pública; en el caso de un literato es menester conocer sus libros; si hablamos con un ideólogo o un filósofo, necesitamos conocer su pensamiento. Solo así podremos *entrar* al personaje y hacer las preguntas adecuadas y oportunas.

2. *Sobre el tema:* Debemos ser conocedores del asunto que vamos a explorar. Para realizar una entrevista sobre el problema del agua en la ciudad de México, es necesario tener la información básica al respecto.

En la entrevista de género siempre centraremos nuestra atención en una persona. Dominar el tema colocará al reportero en un mejor nivel frente a su interlocutor cuando le formule las preguntas y podrá advertir la relevancia de sus declaraciones.

También da más garantías de obtener mejores entrevistas, pues no hay interlocutor que no se aburra, desespere y moleste ante preguntas inocuas y desinformadas.

Las preguntas

1. Aunque el desarrollo de una entrevista necesita ser flexible, debemos llevar siempre con nosotros un guion de preguntas. Ello nos permitirá dar seguimiento a cuestiones sobre las que deseamos insistir y, al mismo tiempo, evitará que en un momento dado permanezcamos silentes.

2. El hecho de llevar un guion no significa circunscribirse únicamente a esas preguntas. Sirve como ayuda de memoria,

pero no debe serlo todo. Es preciso tener la información y rapidez suficientes para abundar en una respuesta que nos parezca incompleta o para profundizar sobre un ángulo que nos resulte interesante. Nunca debemos quedarnos con dudas. No debemos temer admitir que desconocemos aspectos de un tema o una persona, pues precisamente es el interés en ambos lo que nos motivó a realizar la entrevista.

3. Es necesario plantear las preguntas de una manera concreta, precisa y breve. No hagamos preguntas tan largas que tengan respuestas cortas (un "sí" o un "no"). Preguntemos: ¿Usted qué opina sobre…? ¿Qué piensa sobre…? ¿Considera que…?

4. Jamás debemos inducir una respuesta. Por ejemplo, si un hotelero señala que necesita prepararse más para enfrentar los nuevos desafíos que representa la inversión extranjera en el sector, no debemos preguntarle: "¿Entonces cree usted que los hoteleros mexicanos no son capaces de desarrollar la industria?" Por lo general se tiende a buscar lo negativo: no caigamos en esa tentación. El ángulo positivo o negativo no lo dará nuestra línea de preguntas, sino los hechos mismos. Tenemos que huir de prejuicios y no ser proclives a lo tendencioso.

5. No debemos interrumpir respuestas. Si lo hacemos, al momento de redactar descubriremos frases fragmentadas e ideas y conceptos tan incompletos que resultará imposible escribir una entrevista sólida y consistente. Hay que dejar hablar al entrevistado, y solo cuando se salga por completo del tema o rehúya hablar del mismo, debemos interrumpirlo y regresarlo al punto de nuestro interés.

La redacción

Redactar una entrevista que capture la atención del lector es más difícil, quizá, que escribir cualquier otro género periodístico. No hay técnica ni receta para redactar la entrevista, la única recomendación es hacerla atractiva.

Hay, sí, diversas maneras de presentarla:

1. Una introducción de tres o cuatro párrafos, y luego el desarrollo en forma de pregunta-respuesta.
2. Una introducción breve y luego, con pocas preguntas a lo largo del texto, dejar que el entrevistado hable en largos párrafos entrecomillados.
3. Una entrada directa, con lo más noticioso de la entrevista, y luego desarrollarla sobre ese mismo eje.
4. Una entrada descriptiva, recurso que se utilizará a lo largo del texto salpicado con frases entre comillas de la persona entrevistada.
5. Una redacción fundamentalmente noticiosa, intercalando algunos detalles sobre sus actitudes y movimientos a lo largo de la conversación.

Sin excluir a las demás, la siguiente es una que recomendamos para la presentación y redacción de nuestras entrevistas de género: un texto sobre Erick Dickerson, famoso jugador de futbol americano de los Colts de Indianápolis, inmerso en una controversia con la prensa:

Anderson, Indiana. Erick Dickerson quiere dejar una cosa perfectamente clara: no quiere que se le tergiverse, se le cite equivocadamente o que sus palabras sean descontextualizadas.

Por eso ha comenzado a grabar todas las entrevistas que le hacen.

"En muchos de esos artículos es mi palabra contra la de ellos", dijo recientemente Dickerson mientras comía en la Universidad Anderson, donde entrenan los Colts de Indianápolis. "Toman lo que digo y escriben lo que quieren escribir. Deberían dejar de hacerlo."

Una pequeña grabadora negra provista por la oficina de relaciones públicas de los Colts no inhibe los honestos comentarios del corredor acerca de que él, Erick Dickerson, exitoso y polémico en la Liga Nacional de Futbol Americano, sea mal interpretado.

Dickerson se refirió a varios de los conceptos equivocados que se han publicado sobre su persona. "Dicen que soy arrogante, desconsiderado, ambicioso, egoísta, inconforme", señaló. "Y así podría seguir y seguir."

Dickerson siempre ha tenido una relación tormentosa con la prensa, desde que fue reclutado en 1983 por los Rams de Los Ángeles. La relación tocó fondo en Indianápolis en 1989, luego de que Dickerson criticara la línea ofensiva de los Colts.

La manera sutil de introducir el tema nos facilita una entrada agradable que invita a seguir leyendo.

El trabajo periodístico continúa con la contextualización del incidente. Recuerda los comentarios que hicieron sus entrenadores con respecto a su crítica y subraya su impresionante historial deportivo para otorgar autoridad moral a los comentarios.

Al abordar los aspectos financieros del jugador, el entrevistador obliga a Dickerson a hablar sobre sus millonarios contratos, y muestra, por medio de sus respuestas, que lo escrito sobre él ("arrogante, desconsiderado, ambicioso, egoísta e inconforme") es totalmente cierto. Por eso, remata así la entrevista:

La herencia de Dickerson incluirá, sin duda alguna, las cifras al igual que los malos entendidos, que siempre estarán abiertos a la interpretación, con los dispositivos electrónicos al lado.

De esta forma la entrevista resulta circular, pues remata con la idea con que comenzó y deja al lector la sensación de haber leído algo completo, donde el periodista realizó una entrevista de género pero a la vez noticiosa con una persona que en esos momentos era oportuno desnudar para entregar a los lectores los elementos de juicio para que fueran ellos, y no Dickerson ni la prensa misma, quienes decidieran sobre la personalidad del jugador.

Esta no es la única forma como podemos presentar una entrevista. En el siguiente ejemplo puede observarse cómo el reportero nos lleva de la mano para advertir las actitudes, los gestos, las ideas y hasta las fobias de Ava Gardner, con un gran conocimiento del tema y una selección de preguntas cuyas respuestas, combinadas con la descripción de aquello que rodeó la entrevista, al final nos dan la impresión de haber leído un texto pleno, completo, informativo y redondo.

El texto de la entrevista, realizada por el periodista estadounidense Rex Reed,[2] es el siguiente:

"¿Duerme usted desnuda?"
Ava: vida al anochecer

Ella está ahí, de pie, en una habitación que se derrite bajo el color de sofás anaranjados, paredes color lavanda y sillas de estrella de cine a rayas crema y menta, perdida en medio de este hotel de cúpulas, con tantos dorados como un pastel de cumpleaños, que se llama Regency. No hay guion, ni un Minnelli que ajuste los objetivos del Cinemascope. La lluvia helada golpea las ventanas y acribilla Park Avenue mientras Ava Gardner anda majestuosamente en su jaula rosa-malteada cual elegante leopardo. Lleva un suéter azul de cachemira de cuello alto, arremangado hasta sus codos de Ava, y una minifalda de tartán y enormes gafas de montura negra y está gloriosa, divinamente descalza.

Abriéndose paso a codazos entre el tumulto de cazadores de autógrafos y ávidos de emociones arracimados en el vestíbulo, durante el trayecto en el ascensor de incrustaciones doradas el agente de prensa de la Twentieth Century-Fox no ha parado de repetirme entre murmullos:

—Ella no ve a nadie, ¿sabe? Es usted muy afortunado, es el único por quien ha preguntado.

Por su expresión parece recordar la última vez que vino a Nueva York desde su escondite en España para el lanzamiento de *La noche de la iguana* y le trastornó tanto la prensa que se fue de la fiesta y terminó

145

en el Birdland. Y, nerviosamente, moviéndome bajo mi chaqueta de polo a lo Brooks Brothers, recuerdo también a los fotógrafos, contra los que —según se dice— ella arrojó copas de champán (¡corre el rumor de que precipitó a un periodista por la barandilla!), y —¿quién podría olvidarlo, Charlie?— la trifulca que se armó al presentarse Joe Hyams con una grabadora oculta en la manga.

Ahora, dentro de la jaula de leopardo, sin un látigo y temblando como un pájaro nervioso, el agente de prensa dice algo en castellano a la criada española.

—Diablos, he pasado diez años allí y aún no soy capaz de hablar ese dichoso idioma —gruñe Ava, despidiéndole con un movimiento de los largos brazos de porcelana de Ava.

—¡Fuera! No necesito agentes de prensa.

Las cejas dibujan bajo las gafas dos ojos deslumbrantes, interrogantes.

—¿Puedo confiar en él? —pregunta, sonriendo manifiestamente con esa irresistible sonrisa de Ava y señalándome. El agente hace un gesto afirmativo con la cabeza mientras se dirige hacia la puerta:

—¿Podemos hacer algo más por usted mientras permanece en la ciudad?

—Solo sácame de la ciudad, pequeño. Solo sácame de aquí.

El agente se aleja silenciosamente, caminando por la alfombra como si pisara rosas de cristal con zapatos de claqué. La criada española (Ava insiste en que es una perla —me sigue por doquier porque me adora—) cierra la puerta y se marcha hacia otra habitación.

—Bebes, ¿verdad, pequeño? El último maricón que vino a verme tenía gota y no quiso probar trago.

Suelta un rugido de leopardo que suena sospechosamente igual que Geraldine Page en el papel de Alexandra Del Lago y mezcla bebidas de su bar portátil: *scotch* y soda para mí y para ella una copa de champán llena de coñac y otra de Dom Perignon, que bebe sucesivamente, vuelve a llenar y sorbe despacio como jarabe a través de una paja.

Las piernas de Ava cuelgan blandamente de una silla color lavanda mientras su cuello, pálido y largo como un vaso de leche, se alza sobre la habitación como un terrateniente sudista inspeccionando una plantación de algodón.

A sus cuarenta y cuatro años, aún es una de las mujeres más hermosas del mundo.

—No me mires. Estuve despierta hasta las cuatro de la madrugada en ese maldito estreno de *La Biblia*. ¡Estrenos! ¡Mataré personalmente a ese John Huston si vuelve a meterme en otro lío como ese! Debía haber diez mil personas agarrándome. La multitud me produce claustrofobia y no podía respirar. Por Dios, empezaron apuntándome con una cámara de TV, gritando: "¡Di algo, Ava!"

"En el intermedio me perdí y después de apagarse las luces no pude encontrar mi maldita butaca y no paré de decir a aquellas chiquillas de rizados cabellos y linternas: 'Voy con John Huston', ellas no pararon de responderme:

"'No conocemos a ningún Mr. Huston, ¿es de la Fox?' Iba a tientas por los pasillos a oscuras y cuando finalmente encontré mi butaca, estaba ocupada y hubo una gran escena para conseguir que ese tipo me dejara sentar.

"Déjame decírtelo, pequeño, la Metro solía montar los circos mucho mejor. Para colmo, perdí mi maldita mantilla en la *limousine*. Diablos, no era un *souvenir*, esa mantilla. Nunca encontraré otra igual. Entonces John Huston me lleva a esta fiesta donde teníamos que ir de un lado para otro y sonreír a Artie Shaw, con quien estuve casada, pequeño, por el amor de Dios, y su esposa, Evelyn Keyes, con quien John Huston estuvo casado hace tiempo, por el amor de Dios. Y cuando todo ha terminado, ¿qué es lo que has conseguido? El mayor dolor de cabeza de la ciudad. A nadie le importa quién diablos estaba allí. ¿Piensas por un momento que Ava Gardner expuesta en ese circo venderá la película? Por Dios, ¿lo viste? Tomé parte en todo aquel infierno solo para que esta mañana Bosley Crowther pudiera escribir que parecía como si posara para un monumento. Todo el tiempo estuve pellizcando a Johnny en el brazo y diciéndole: 'Por Dios, ¿cómo puedes dejarme hacer esto?' De todas formas, a nadie le importa lo que llevaba puesto o lo que dije. Todo lo que querían saber es si estaba bebida y si me mantenía derecha. Este es el último circo. ¡No soy una puta! ¡No soy temperamental! Estoy asustada, pequeño. Asustada. ¿Es posible que puedas entender lo que es sentirse asustada?"

Se subió las mangas por encima de los codos y se sirvió otras dos copas. De cerca, nada en su aspecto sugiere la vida que ha llevado: conferencias de prensa con acompañamiento de luces opacas y orquesta; toreros publicando en la prensa poemas sobre ella; fricciones de vaselina entre sus pechos para realzar el escote; recorriendo incansablemente toda Europa como una mujer sin patria, una Pandora con sus maletas llenas de coñac y barras Hershey ("para rápida reposición de energías"). Ninguno de los asolados, ruinosos rasgos color de uva sugieren los amoríos o las reyertas que atraen a la policía en medio de la noche o los bailes en tablados de Madrid hasta el amanecer.

Suena el timbre de la puerta y un chico de cara granujienta y peinado a lo Beatle entrega una docena de perros calientes traídos de Coney Island en *limousine*.

—Come —dice Ava, sentándose con las piernas cruzadas en el suelo, mordiendo una cebolla cruda.

—¡Me estás mirando otra vez! —dice tímidamente, echándose cortos mechones juveniles de pelo detrás de los lóbulos de sus orejas de Ava. Señalo el hecho de que parece una estudiante de Vassar con su minifalda.

—¿Vassar? —pregunta con suspicacia—. ¿No son las que se meten en todos los líos?

—Eso es Radcliffe.

Ruge. De nuevo Alexandra Del Lago.

—Me vi en *La Biblia* y salí y me hice cortar el pelo. Esta es la forma en que solía llevarlo en la Metro, quita años... ¿Qué es eso?

Los ojos se encogen, partiendo a su huésped por la mitad, perforando mi cuaderno de notas.

—No me digas que eres una de esas personas que siempre van por ahí garabateándolo todo en pequeños pedazos de papel. Líbrate de eso. No tomes notas. Tampoco hagas preguntas porque probablemente no contestaré ninguna. Deja que Mamá lo diga todo. Mamá conoce mejor el tinglado. Tú quieres preguntar algo, yo puedo responder. Pregunta.

Pregunto si odia todas sus películas tanto como *La Biblia*.

—Por Dios, ¿qué conseguí con nunca hablar? Cada vez que intenté interpretar, se echaron sobre mí. Es una completa vergüenza, he sido estrella de cine durante veinticinco años y no he logrado nada, nada tangible a cambio. Todo lo que he conseguido son tres asquerosos ex maridos, lo cual me recuerda que tengo que llamar a Artie y preguntarle cuándo es su cumpleaños. No puedo recordar los cumpleaños de mi propia familia. La única razón de saber el mío es porque nací el mismo día que Cristo. Bueno, casi, Nochebuena, en 1922. Soy capricornio, lo que significa una vida de infierno, pequeño. De todas formas, necesito saber la fecha de nacimiento de Artie porque estoy tratando de conseguir un pasaporte nuevo. Vagabundeo por Europa, pero no voy a abandonar mi ciudadanía, pequeño, por nadie. ¿Intentaste alguna vez vivir en Europa y renovar tu pasaporte? Te tratan como si fueras una maldita comunista o algo así. Diablos, esa es la razón por la que me largo del infierno de España, porque le odio y odio también a los comunistas. Ahora quieren una lista de todos mis divorcios, así que les dije diablos, llamen al *New York Times:* ¡Saben de mí más que yo misma!

—Pero todos esos años en la Metro, ¿no fueron nada divertidos?

—Por Dios, después de diecisiete años de esclavitud, ¿puedes hacerme esta pregunta? Lo odié, cariño. Quiero decir que no soy precisamente estúpida ni me falta sensibilidad, y ellos trataron de venderme como una bestia premiada en una feria de ganado. También trataron de convertirme en algo que no era y nunca hubiera podido ser. El estudio solía escribir en mis biografías que yo era hija de un plantador de algodón en Grabtown. ¿Qué tal te suena? Grabtown, Carolina del Norte. Y parece exactamente tal como suena. Debí haberme quedado allí. Los que nunca se van de casa no tienen dónde caerse muertos, pero son felices. Yo mírame. ¿Qué me ha reportado?

Apura otra ronda de coñac y se sirve una nueva.

—Solo soy feliz cuando no hago absolutamente nada.

"Cuando trabajo no paro de vomitar. No sé nada sobre interpretación, así que tengo una regla: confiar en el director y entregarme con el alma y la vida. Y nada más. (Otro rugido leopardino.) Tengo la mar de dinero, así que puedo permitirme gandulear mucho. No confío en mucha gente, así que ahora solo trabajo con Huston. Solía confiar en Joe Mankiewicz, pero un día en el plató de *La condesa desnuda* hizo lo imperdonable: me insultó. Dijo: "Eres la actriz más condenadamente afectada", y desde entonces nunca me gustó. Lo que realmente quiero hacer es volverme a casar. Adelante, ríete, todo el mundo se ríe, pero qué maravilloso debe ser trajinar descalza y cocinar para un grandioso y maldito hijo de puta que te quiera por el resto de tu vida. Nunca he tenido un buen marido."

—¿Y Mickey Rooney? (Un grito magnífico.) ...¿Sinatra?

—Sin comentarios —le dice a su copa.

Cuento lentamente hasta diez, mientras sorbe su bebida. Entonces —¿Y Mia Farrow?— los ojos de Ava se avivan hasta un suave verde césped. La respuesta llega como si cantidad de gatos lamiesen muchos platillos de crema.

—... ¡Ah! Siempre supe que Frank acabaría en la cama con un chico.

Como un tocadiscos automático que deja caer un nuevo LP, cambia de tema:

—Solo quiero hacer aquellas cosas que no me hacen sufrir. Mis amigos son más importantes para mí que cualquier otra cosa. Conozco a toda clase de personas: holgazanes, gorrones, intelectuales, unos cuantos estafadores.

"Mañana iré a ver a un estudiante de Princeton y asistiremos a un *match* deportivo. Escritores. Me gustan los escritores. Henry Miller me envía libros para que me cultive.

"Diablos, ¿leíste *Plexus*? Fui capaz de terminarlo. No soy una intelectual, aunque cuando estaba casada con Artie Shaw hice muchos cursos en la Universidad de Los Ángeles y saqué las notas más altas en psicología y literatura.

"Tengo cabeza, pero nunca tuve la oportunidad de usarla haciendo todos esos malditos papeles repugnantes de todas esas malditas películas

150

repugnantes que la Metro produjo. Sin embargo, soy muy sensible. Dios, me apena mucho pensar que malgasté estos veinticinco años. Mi hermana Dee Dee no consigue entender que después de todos estos años no pueda soportar estar delante de una cámara. Pero yo nunca aporté nada a este negocio y no tengo ningún respeto por la interpretación. Quizá si hubiera aprendido algo sería distinto. Pero nunca hice nada de lo que pueda estar orgullosa. Aparte de todas esas películas, ¿qué más puedo decir que he hecho?

—*Mogambo, The Hucksters*…

—Diablos, pequeño, si después de veinticinco años en este negocio todo lo que has conseguido hacer es *Mogambo* y *The Hucksters,* mejor que abandones. Cítame una actriz que haya sobrevivido a toda esa porquería de MGM. Quizá Lana Turner. Seguramente Liz Taylor. Pero todas ellas odian la interpretación tanto como yo. Excepto Elizabeth.

"Solía venir a verme al plató y me decía: 'Si solamente pudiera aprender a ser buena actriz', y lo consiguió. No he visto *Virginia Woolf.*

"Diablos, nunca voy al cine, pero me han dicho que Liz está bien. Nunca me preocupé mucho de mí misma. No tuve el carácter emocional para interpretar y de todos modos odio a los exhibicionistas. ¿Y quién diablos estaba allí para ayudarme y enseñarme que interpretar era algo más? En realidad lo intenté en *Show Boat,* pero eso fue una porquería MGM. Típico de lo que me hicieron allí.

"Quería cantar aquellas canciones, diablos, aún conservo un acento sureño, y de veras creí que el personaje de Julie debía sonar a negro, ya que se supone que tiene sangre negra. Por Dios, aquellas canciones, como Bill, no podían parecer ópera. Entonces, ¿qué dijeron? 'Ava, pequeña, no puedes cantar, te equivocarás de tono, en este film te codeas con verdaderos profesionales, así que no hagas una locura.' ¡Profesionales! ¿Howard Keel? ¿Y Kathryn Grayson, que tiene las tetas más grandes de Hollywood? Quiero decir que Graysie me gusta, es encantadora, ¡pero con ella ni siquiera necesitaba rodar en 3D! Lena Horne me dijo que fuera a ver a Phil Moore, que era su pianista y había formado a Dorothy Dandridge, y me dio lecciones.

"Hice una grabación condenadamente buena de las canciones y dijeron: 'Ava, ¿estás loca?' Entonces llamaron a Eileen Wilson, esa chica que solía cantar muchas de mis canciones en la pantalla, y ella grabó una banda sonora con la misma orquestación, tomada de la mía. Sustituyeron mi voz por la suya, y ahora en la película, cuando mi deje sureño termina de hablar, su voz de soprano empieza a cantar —diablos, qué lío—. Gastaron Dios sabe cuántos miles de dólares y terminó en una porquería. Todavía gano derechos de autor de los malditos discos que hice."

Suena el timbre de la puerta y aparece de un salto un hombre llamado Larry. Larry tiene el pelo plateado, las cejas plateadas y sonríe mucho. Trabaja para una tienda de cámaras de Nueva York.

—Larry estaba casado con mi hermana Bea. Si piensas que soy algo, debes ver a Bea. Cuando yo tenía dieciocho años, vine a Nueva York a visitarles y Larry me hizo aquella foto con que empezó todo este escándalo. Es un hijoputa, pero me gusta.

—Ava, te aseguro que me gustaste mucho anoche en *La Biblia*. Estabas realmente formidable, querida.

—¡Asqueroso! —Ava se sirve otro coñac—. No quiero oír otra palabra sobre esa maldita *Biblia*. No me creí *nada* y ni por un momento me creí ese pequeño papel mío de Sara. ¿Cómo pudo nadie estar casado cientos de años con Abraham, que fue uno de los mayores bastardos de toda la historia?

—Oh, querida, era una mujer maravillosa aquella Sara.

—¡Estaba cargada de puñetas!

—Oh, querida, no debes hablar así. Dios te oirá. ¿No crees en Dios? —Larry se nos une en el suelo y mordisquea un perro caliente, manchándose la corbata con mostaza.

—Diablos, no —los ojos de Ava brillan.

—Yo le rezo cada noche, querida. A veces incluso me contesta.

—A mí nunca me contestó, pequeño. Nunca estuvo cerca cuando le necesité. No hizo nada, pero retorció toda mi vida desde el día que nací. ¡No *me* hables de *Dios*! ¡Lo sé todo de ese chico!

De nuevo el timbre de la puerta. Esta vez entra un tipo intrigante; lleva una gabardina bien planchada, tiene siete kilos de pelo, y parece haber estado viviendo de verduras de plástico. Dice que es estudiante de derecho en la Universidad de Nueva York. También dice que tiene veintiséis años.

—¿Qué? —Ava se quita las gafas para verle mejor—. Tu padre me dijo que tenías veintisiete. ¡Alguien miente! —los estrechos ojos de Ava y las palmas de sus manos están húmedos.

—Vamos a tomar un poco el aire, amigos.

Ava va de un salto a su habitación y vuelve llevando una chaqueta verde guisante de la Marina, con un pañuelo de Woolworth en la cabeza. De nuevo la estudiante de Vassar.

—Creía que ibas a cocinar esta noche, querida —dice Larry, poniéndose una manga de su chaqueta.

—Quiero espaguetis. Vamos a la Supreme Macaroni Company. Allí me dejan entrar por la puerta de atrás y nadie reconoce nunca a nadie. Espaguetis, pequeño. Estoy muerta de hambre.

Ava cierra de un portazo, dejando todas las luces encendidas.

—Paga la Fox, pequeño.

Nos cogemos todos del brazo y seguimos al líder. Ava salta delante nuestro, como Dorothy camino de Oz. *¡Leones y tigres y osos, caramba!* Moviéndose como un tigre a través de los salones del Regency, derritiéndose en un color rosa cálido, como el interior de un útero.

—¿Aún está abajo el hormiguero? —preguntó—. Síganme.

Conoce todas las salidas. Bajamos en el ascensor del servicio. Cerca de veinte cazadores de autógrafos pueblan el vestíbulo. Celia, reina de los sablistas de autógrafos, que solo en ocasiones especiales abandona su puesto en la puerta de Sardi, ha desertado hoy. *Ava está en la ciudad esta semana.* Celia está sentada tras una palmera plantada en un tiesto, lleva un abrigo púrpura y una boina verde, los brazos repletos de postales dirigidas a sí misma.

Hace fresco, Ava se abriga, coloca las gafas aplastadas contra su nariz y tira de nosotros a través del vestíbulo. Nadie la reconoce.

—¡La hora de beber, pequeño! —susurra, empujándome hacia una escalera lateral que desciende al bar del Regency.

—¿Sabes quién fue *eso*? —pregunta una figura al estilo de Iris Adrian, con una piel de zorro teñida de visión en su brazo, al dirigirse

Ava hacia el bar. Nos deshacemos de abrigos y paraguas y de repente oímos la voz de la banda sonora, desafinando en mi bemol.

—¡Hijoputa! Podría comprarte y venderte. ¿Cómo te atreves a insultar a mis amigos? ¡Tráeme al director!

Larry está a su lado. Dos camareros sosiegan a Ava y nos conducen a todos a un reservado situado en un rincón. Oculto. Más oscuro que el Polo Lounge. Esconded a la estrella. Esto es Nueva York, no Beverly Hills.

—La culpa es de ese suéter de cuello alto que llevas —me susurra Larry cuando el camarero me hace sentar de espaldas a la estancia.

—Aquí no me quieren, los hijos de perra. Nunca vengo a este hotel, pero paga la Fox, luego, ¿qué diablos? De otro modo no vendría. Ni siquiera tienen *jukebox*, por el amor de Dios.

Ava luce una sonrisa en Metrocolor y se hace servir un gran vaso de té con hielo lleno de tequila, sin sal en los bordes. No hace falta.

—Siento lo del suéter —empiezo a decir.

—Eres guapo, ¡gr-r-r! —se ríe con su risa de Ava, echando hacia atrás la cabeza, y una pequeña vena azul se le dibuja en el cuello, cual delicado trazo de lápiz.

Dos tequilas más tarde ("dije sin sal") mueve la cabeza majestuosamente, supervisando el bar como la emperatriz viuda en la escena del reconocimiento. A su alrededor la conversación zumba como aleteo de colibrí, y ella no oye nada. Larry habla de cuando estuvo detenido en Madrid y Ava tuvo que sacarle de la cárcel. El estudiante me habla sobre la Facultad de Derecho de Nueva York y Ava le dice a él que no se cree que tenga solo veintiséis años y pueda demostrarlo, y de repente este mira su reloj y dice que Sandy Koufax está jugando en San Luis.

—¡Estás bromeando! —los ojos de Ava se encienden cual cerezas en un pastel—. ¡Vamos! ¡Maldición, vamos a San Luis!

—Ava, querida, mañana tengo que ir a trabajar —Larry pega un largo sorbo a su *grasshopper*.

—Cállate, chico. ¡Si pago para ir todos a San Luis, vamos a San Luis! ¿Podría traerme un teléfono a esta mesa?

"Que alguien llame al aeropuerto Kennedy y averigüe a qué hora sale el próximo avión. ¡*Me gusta* Sandy Koufax! ¡*Me gustan* los judíos! Dios, a veces pienso que yo misma soy judía. Una judía española de Carolina del Norte. ¡*Camarero!*"

El estudiante le convence de que para cuando llegáramos a San Luis ya estarían a mitad de la séptima entrada.

La cara de Ava decae y vuelve a su tequila puro.

—Míralos, Larry —dice—. Son como niños. Por favor, no vayas a Vietnam. —Su cara se vuelve cenicienta. Julie al abandonar el buque fluvial con William Warfield, cantando "Ol'Man River" entre la niebla del malecón—. Tenemos que hacerlo...

—¿De qué estás hablando, querida? —Larry lanza una mirada al estudiante de derecho, que asegura a Ava no tener intención de ir a Vietnam.

—...No pedimos este mundo, esos tipos nos obligan a hacerlo... —una diminuta gota de sudor brota de su frente y ella se levanta de la mesa impetuosamente—. ¡Dios mío, me asfixio! ¡Salgamos a tomar un poco de aire! —vuelca el vaso de tequila y tres camareros vuelan hacia nosotros como murciélagos, haciendo gran ruido con pies y manos y resoplando.

¡Acción!

El estudiante neoyorquino de derecho, haciendo de Chance Wayne para su Alexandra Del Lago, se comporta como una adiestrada *nurse*. Los abrigos salen volando del guardarropa. Cuentas y monedas ruedan sobre el mojado mantel. Ava está al otro lado del bar y pasada la puerta.

En cola, los demás clientes, que han estado buscando excusas al pasar por nuestra mesa para ir al lavabo, de repente profieren a coro grandes trémolos de "Ava" y nosotros salimos a la calle por la puerta lateral, bajo la lluvia.

Entonces todo termina tan rápidamente como empezó. Ava está en medio de Park Avenue, el pañuelo cae alrededor de su cuello y su pelo flota alborotadamente sobre sus ojos de Ava. Lady Brett entre el tráfico, con un autobús urbano a guisa de toro. Tres coches se paran en un semáforo verde y todos los taxistas de Park Avenue se ponen a tocar el claxon. Los cazadores de autógrafos salen con ímpetu por las lustrosas puertas del Regency y empiezan a chillar. En el interior, aguardando aún tranquilamente tras la palmera, está Celia, abstraída del ruido, mirando hacia los ascensores, agarrando firmemente sus postales. Ninguna necesidad de arriesgarse a perder a Ava por causa de una pequeña conmoción en la calle.

Probablemente Jack E. Leonard o Edie Adams. Los pescaremos la semana que viene en Danny's.

Fuera, Ava está dentro de un taxi, escoltada por el estudiante de derecho y Larry, dando sonoros besos al nuevo compañero, que nunca llegará a ser un compañero viejo. Ya están doblando la esquina de la calle Cincuenta y Siete, desvaneciéndose en esa clase de noche, ese color de zumo de tomate en los faros delanteros, que solo existen en Nueva York cuando llueve.

—¿Quién era? —pregunta una mujer que pasea un perro de aguas.

—Jackie Kennedy —contesta un hombre desde la ventanilla de su autobús.

PERFILAR UNA PERSONALIDAD

Uno de los géneros periodísticos no reconocido como tal es el llamado "perfil".

Combinación de entrevista, noticia y crónica, el perfil es un género *casi* inexistente en el periodismo mexicano, sin embargo, resulta indispensable para conocer a fondo la personalidad de un individuo.

En tanto que el reportaje atiende el punto de vista sociológico de algún acontecimiento, el perfil constituye la radiografía psicológica de una persona.

No se debe confundir, como suele suceder, con la presentación —en forma de noticia— de su biografía, como en el siguiente caso:

El gobernador sustituto de Tabasco, Manuel Gurría Ordóñez, tiene 61 años de edad, es egresado de la Escuela de Derecho de la Universidad Nacional Autónoma de México. Ha desempeñado diversos cargos públicos, entre otros: subsecretario de Gobierno en el régimen de Miguel Orrico de Llanos; secretario de Gobierno con Carlos A. Madrazo; diputado federal; secretario B y A del Departamento del Distrito Federal; subsecretario de Turismo y de Agricultura; delegado del PRI en Chihuahua y Chiapas; presidente municipal en Villahermosa.

¿Qué aporta este texto al lector? ¿Cómo es Gurría Ordóñez como persona? ¿Cuál es su historial político? ¿Cuáles son sus méritos, sus apoyos, sus alianzas? ¿Quién es el nuevo gobernador de Tabasco? ¿Qué opinan de él quienes lo conocen: sus familiares, amigos y enemigos? ¿Qué le gusta? ¿Qué le desagrada? ¿Cómo es su carácter?

Lo que nos proporciona el ejemplo anterior son datos más propios para un pie de página y un brevísimo obituario. Difícilmente es un trabajo periodístico que aporte elementos de juicio a los lectores.

El verdadero perfil utiliza la información curricular y anécdotas, pero va más allá. Para hacer un buen perfil es preciso trascender las formas empleadas cotidianamente en la redacción.

Hay que delinear los elementos psicológicos de la persona para explicar por qué se comporta de cierta manera. Este tipo de texto resulta bastante difícil de realizar y requiere de mucha investigación y reporteo, mucho más de lo que se cree.

No basta tener la entrevista con el personaje seleccionado, por más valiosa que sea. Es necesario hablar con sus parientes (esposas y esposos son espléndidas fuentes de información), con amigos, colegas, rivales, viejos profesores, antiguos compañeros de clase y todos aquellos con quienes haya tenido algún contacto.

Las expresiones, las reacciones, los comportamientos en determinadas situaciones, sus angustias, temores y alegrías no solo reflejarán al personaje, sino que proporcionarán una visión a futuro de su personalidad. Nadie cambia radicalmente de conducta, y lo que hizo de joven será un patrón de su comportamiento como adulto, con más experiencia y conocimiento, sí, pero con las mismas bases. Es una forma de alertar a nuestros lectores sobre posibles engaños de figuras públicas.

Qué buscar primero

El reportero debe buscar la información biográfica básica:

- Fecha y lugar de nacimiento.
- Escolaridad: primarias, secundarias, preparatorias, universidades, áreas de especialización, grados, becas, premios, etcétera.
- Empleos: su primer trabajo y cualquier cambio crucial son de particular importancia. Casamientos: ¿con quién y por cuánto tiempo? Hijos: ¿cuántos? ¿Quiénes?

Sus estilos

El detalle es vital para establecer el impacto del individuo sobre su familia, colegas, amigos y enemigos. Los elementos que no deben olvidarse incluyen:

- Descripción física: peso, estatura, color de pelo y de ojos y apariencia general.
- Manierismos e idiosincrasias: informarse, por ejemplo, sobre si el personaje es un fumador, si solo bebe té, si le gustan determinadas bebidas, si remueve el azúcar del café con un lápiz o con el dedo, si masca chicle, si tose demasiado, si carraspea…
- Vestimenta: ¿cuánto dinero invierte en ella? ¿Dónde compra sus trajes? ¿Sus juegos son de diseñador? ¿Dónde va al salón de belleza? ¿Siempre tiene un peinado impecable?

Valores y actitudes

Al respecto, el periodista debe encontrar lo que es importante para una persona.

- Emociones: ¿qué lo molesta? ¿Qué le hace reír? ¿Es gritón? ¿Habla quedo? ¿Le gusta cantar? ¿Es huraño? ¿Se controla? ¿Explota rápidamente?

- La familia: ¿valora días como cumpleaños o Navidades? ¿Qué obsequia en su aniversario de bodas? ¿Tiene fotos de sus hijos en la cartera? ¿La foto de su esposo o esposa sobre el escritorio de su oficina? ¿Realiza una vida familiar con sus parientes más cercanos y políticos? ¿Los ayuda en casos de emergencia?

- Tiempo libre: ¿cómo lo aprovecha? ¿Tiene pasatiempos? ¿Prefiere jugar damas chinas o ajedrez? ¿Le gusta el cine? ¿Qué tipo de películas? ¿Y el teatro? ¿Qué tipo de obras? ¿Lee mucho? ¿Qué tipo de libros? ¿Le gusta la música? ¿Baila? ¿Le gusta cantar? ¿Colecciona obras de arte?

- Comidas y bebidas: ¿frecuenta restaurantes? ¿Es capaz de ir un día a Champs Elysées y al día siguiente a un McDonald's? ¿Fuma? ¿Cigarros o puros? ¿Se considera un sibarita? ¿Es buen bebedor de whisky? ¿Es vegetariano? ¿Nunca bebe vino tinto que no sea de Burdeos?

- Salud: ¿está sano? ¿Cada cuánto tiempo se hace un chequeo? ¿Ha tenido operaciones? ¿Cuántas y de qué? ¿Hace dietas? ¿Practica algún deporte? ¿Está bajo medicamentos?

- Religión: ¿qué opina sobre el papa Francisco? ¿Cómo ve a las sectas protestantes? ¿Va a misa? ¿Es ateo? ¿Se considera agnóstico? ¿Lee la *Biblia*? ¿Tiene a sus hijos en escuelas católicas? ¿Cuál es su religión?

- Trabajo: ¿cuáles son sus hábitos de trabajo? ¿Sabe delegar tareas? ¿Puede trabajar bajo presión? ¿Tiene lealtad para con sus jefes y la institución en la que trabaja? ¿Cambia constantemente de empleos? ¿Acepta críticas? ¿Le importa mucho el salario? ¿Cómo resuelve los errores de sus subordinados? ¿Es rápido y eficaz en sus decisiones?

- Finanzas: ¿es buen administrador? ¿Cómo diseña y ejecuta los presupuestos? ¿Procura el ahorro? ¿Sacrifica eficiencia por ahorro?

El género del periodismo en el que se sustenta el perfil es la entrevista. Pero no debe confundirse la entrevista de semblanza con un perfil: aunque las entrevistas pueden estar muy bien escritas y tener un gran valor informativo, nunca podrán considerarse como perfil. La entrevista es unidimensional, pues el texto se elabora casi por completo con las respuestas del entrevistado.

Para elaborar un buen perfil no basta con una entrevista, pues no provee la riqueza de material que se exige. Es indispensable hablar con el mayor número de personas posible a fin de cubrir los elementos necesarios en este género:

Motivación

Es el elemento más valioso y, por lo general, el más carente. Quien redacte un perfil debe ser capaz de encontrar incidentes, personas e ideas que han delineado el carácter del individuo en cuestión.

¿Una enfermedad condujo posteriormente al éxito? ¿Fue algún libro la fuente que inspiró una gran acción? ¿Qué momento transformó su vida?

Impacto

El reportero debe encontrar un impacto de la persona mediante sus respuestas. Es decir, debe lograr que la persona responda aquello que jamás se pensó que revelaría, que enfrente las interrogantes más originales y, periodísticamente, más audaces.

Es memorable aquella revelación del entonces secretario de Estado, Henry Kissinger, a la reportera italiana Oriana Fallaci cuando a una pregunta sobre el origen de su éxito, le trazó una analogía con el Llanero Solitario:

—Quiero decir que, como a un jugador de ajedrez, le han salido bien dos o tres jugadas. China sobre todo. A la gente le gusta el jugador de ajedrez que se come al rey.

—Sí, China ha sido un elemento muy importante en la mecánica de mi éxito. Y, a pesar de ello, no es esta la razón principal… Sí, se la

160

diré. ¿Qué importa? La razón principal nace del hecho de haber actuado siempre solo.

"Esto les gusta mucho a los norteamericanos. Les gusta el *cowboy* que avanza solo sobre su caballo, el *cowboy* que entra solo en la ciudad, en el poblado, con su caballo y nada más. Tal vez sin revólver, porque no dispara. Él actúa y basta; llega al lugar oportuno en el momento oportuno. Total, un *western*."

—Comprendo. Usted se ve como un Henry Fonda desarmado y dispuesto a pelear por honestos ideales. Solitario, valeroso…

—Lo del valor no es necesario. De hecho a este *cowboy* no le sirve de nada ser valeroso. Le sirve estar solo: demostrar a los demás que entra en la ciudad y se las arregla solo. Este personaje romántico, asombroso, se parece a mí porque estar solo ha formado siempre parte de mi estilo o, si lo prefiere, de mi técnica.[3]

O la tajante respuesta del empresario Carlos Slim a la reportera Rossana Fuentes-Berain sobre la supuesta participación accionaria del presidente Carlos Salinas de Gortari en Telmex: "Desde 1981 Grupo Carso era muy fuerte. ¿Qué ventaja podría haber en una asociación con políticos?"[4] Pero, claro, hay que preguntarle. Como en la entrevista, es preciso ir preparado para explorar los puntos más oscuros de su vida y obtener de él o ella las respuestas que los clarifiquen.

Uno de los errores más comunes en un perfil es incluir material excesivo sobre la postura política del sujeto. No hace falta detallar cómo se comportó un político a su paso por las legislaturas L, LI, y LII del Congreso, aunque sí sería importante cuestionarle por qué en 1982 votó por la nacionalización de la banca y ocho años después avaló la privatización bancaria. Un perfil no debe ser usado como tribuna para la defensa o la crítica de la posición de una persona, pues este no es su objetivo, sino servirse de esos elementos para trazar un gran retrato que rebasa por mucho actitudes circunstanciales y de coyuntura.

La abundancia de material será un problema frecuente. Descartar y seleccionar constituye una tarea fundamental para la que no existe receta alguna.

Pero vale considerar que lo importante, por encima de todo, es aquello que va a desnudar la idiosincrasia y el comportamiento del individuo. Como observadores entrenados, quienes hagan un perfil necesitan detectar lo más relevante en la psicobiografía de la persona.

Hay que recordar que el principal propósito del perfil es relatar cómo se formó una personalidad y describir las fuerzas multifacéticas que orientaron al personaje.

La estructura y el estilo del perfil dependen del material y de quien redacte, pero es preciso resaltar que todo debe ir hilvanado con agilidad y lleno de anécdotas y citas textuales.

Entre lo ideal y lo real siempre hay una gran distancia. De cualquier forma, en la medida en que el reportero busque achicarla, el producto que entregue a los lectores deberá ser el más cercano a lo ideal.

A continuación se reproducen tres perfiles elaborados sobre personajes conocidos y enigmáticos a la vez, difíciles en acceso, complejos en personalidad y muchas veces, también, temidos por sus enemigos.

El primero, sobre Emilio Azcárraga, lo escribió la reportera Claudia Fernández para *El Financiero* y se publicó el lunes 10 de enero de 1994:

Emilio Azcárraga Milmo, el Tigre *de Televisa, dominó*
los negocios en 93
CLAUDIA FERNÁNDEZ / *El Financiero Internacional*

Durante años nadie creyó en Emilio Azcárraga. Incluso su padre, Emilio Azcárraga Vidaurreta, uno de los hombres más poderosos de los medios de comunicación del México de los años cincuenta, a menudo solía referirse a él como: "mi hijo, el idiota".

Pero a los 33 años, Azcárraga decidió demostrar que en su interior bullía la tenacidad y la energía de un tigre.

En 1963, construyó el estadio de futbol soccer más grande de México.

Hoy, el Estadio Azteca es solo un testimonio de la visión de Azcárraga para los negocios y el poder. Con una fortuna personal calculada por la revista *Forbes* (y recientemente reiterada en el Almanaque Mundial 1994) en aproximadamente 5.1 millones de dólares, este personaje —de 63 años de edad—, presidente y gerente general de Televisión Vía Satélite (Televisa), se yergue como el amo del negocio de la comunicación en México.

Cuando su padre murió en 1972, Azcárraga Milmo tomó las riendas de Televisa, que ya era el consorcio de televisión más grande del país con ventas de aproximadamente 60 millones de dólares.

A lo largo de dos décadas, *el Tigre* —como se le conoce por el mechón blanco que divide su cabello oscuro y por su fiera personalidad— ha convertido la empresa de 2 000 millones de dólares en el conglomerado de comunicaciones de habla hispana más grande del mundo.

Hasta septiembre de 1993, Grupo Televisa reportó ventas por 1 200 millones de dólares, según el último prospecto de colocación del consorcio. Alrededor de 90% de los 15 millones de telehogares que hay en el país sintonizan canales de Televisa. La empresa también controla 80% de la publicidad en la televisión mexicana.

Por estos logros, entre otros, Emilio Azcárraga resultó ganador en la encuesta interna que *El Financiero Internacional* organiza anualmente para designar a "El Hombre de Negocios del Año". El Tigre, sin embargo, declinó conceder una entrevista a *El Financiero*.

Pese a los triunfos de Azcárraga, el camino no ha sido fácil, especialmente en Estados Unidos, donde Televisa no goza del control que tiene en México.

Además empieza a ser duramente criticado por su cercanía con el Partido Revolucionario Institucional (PRI).

Durante la campaña presidencial de Carlos Salinas de Gortari en 1988, Azcárraga declaró: "Somos simpatizantes del PRI, siempre lo hemos sido y no creemos en otras fórmulas. Como miembro del PRI haré todo lo posible para garantizar la victoria de nuestro candidato".

El 23 de febrero, *el Tigre* asistió junto con otros de los 30 empresarios más ricos de México a una cena para recolectar fondos para el PRI, en la que también estuvo presente Salinas de Gortari. En esa ocasión, a los ejecutivos se les pidió que desarrollaran "bloques de apoyo" para hacer donaciones monetarias al PRI. Azcárraga sugirió que el monto de la ayuda fuera de 25 millones de dólares por cabeza.

Pero en Estados Unidos, su influencia y su dinero no han sido suficientes.

A mediados de los sesenta, *el Tigre* creó una cadena de televisión por cable de 12 canales en español en Estados Unidos, la Spanish Independent Network (más tarde Univisión). Pero en 1987, una corte federal estadounidense le ordenó que vendiera la empresa debido a violaciones a las leyes de propiedad extranjera. La empresa estadounidense de tarjetas, Hallmark, compró la compañía en 600 millones de dólares.

En 1990, Azcárraga penetró el mercado estadounidense nuevamente. En esta ocasión lanzó el único diario deportivo en Estados Unidos, *The National*. Pero en julio de 1991, con una pérdida de 100 millones de dólares, cerró la empresa. Según analistas, juzgó mal a los lectores deportivos acostumbrados a las publicaciones de casa *USA Today* y *Sports Illustrated* y no estudió bien los pormenores del mercado.

Más recientemente, la propuesta de una coinversión entre Grupo Televisa y la empresa Tele-Comunications Inc. (TCI), basada en Denver, se vino abajo. Una vez concluido el acuerdo, TCI adquiriría 49% de Cablevisión, por un valor estimado entre 200 y 400 millones de dólares. Pero con la compra de TCI por parte de Bell Atlantic, en octubre del año pasado, el acuerdo con Televisa se canceló el 8 de diciembre.

Pero Azcárraga, quien es devoto de la Virgen de Guadalupe, nunca se rinde. "Es un gran empresario", dijo Pablo Riveroll, director de investigación de Bursamex, una empresa bursátil de la ciudad de México. "Ha sufrido varias caídas y siempre se ha levantado."

Amante de los tacos y el tequila, el presidente del máximo consorcio televisivo mexicano ha tenido más suerte en los negocios al sur del río Grande.

Televisa es dueña de cuatro cadenas de televisión nacional con una poderosa producción de más de 43 000 horas de espectáculos televisivos al año, casi 20% del mercado de televisión por cable, 10 estaciones de radio e importantes inversiones en revistas, periódicos y disqueras.

Y el imperio sigue expandiéndose. En septiembre, Emilio Azcárraga firmó un acuerdo de 50-50% con el magnate australiano de los medios de comunicación, Rupert Murdoch, para crear una nueva compañía que podría producir 500 horas de programación tanto en español como en inglés. Asimismo, signó un convenio con Discovery Communications para empezar a transmitir por Cablevisión el canal Discovery en español a partir de febrero.

Televisa también es dueña de dos equipos de futbol (aunque se especula que ya son siete), del Estadio Azteca y de la Plaza de Toros México, la más grande del mundo, con capacidad para 50 000 personas.

El Tigre Azcárraga, al lado de su cuarta esposa, Paula Cusi, es un amante del arte mexicano. Fue uno de los principales organizadores de la exposición de arte mexicano "30 Siglos de Esplendor", que reunía una impresionante muestra de arte nacional. Asimismo, es dueño del Centro Cultural Arte Contemporáneo.

"Con toda la información en sus manos, él es el hombre de negocios más rápido que he visto para tomar decisiones. Y he visto a varios", dijo una fuente interna de Televisa.

Este personaje no solo ha extendido su poder más allá de las comunicaciones sino más allá de las fronteras. En sociedad con el inversionista californiano Jerrold A. Perenchio y la cadena de televisión venezolana Venevisión, Azcárraga recuperó Univisión en diciembre de 1992 a un precio de 550 millones de dólares. El empresario mexicano aportó 33.3 millones de dólares para 25% de acciones en la cadena y 12% de las 13 estaciones.

También adquirió 50% de PanAmSat, una empresa internacional de transmisiones por satélite por un valor de 200 millones de dólares.

La editora de revistas en español más grande del mundo, American Publishing Group; 49% de Megavisión, la cadena de televisión chilena con 21 canales; 76% de la Compañía Peruana de Radiodifusión y 25% de la cadena de radio española, Cadena Ibérica, se sumaron al consorcio del *Tigre*.

No obstante, los analistas piensan que Azcárraga Milmo ha ido demasiado lejos. "La empresa está involucrada en tantas cosas y ha invertido tanto dinero que tiene que hacer una evaluación para saber si [los negocios] son buenos", dijo Riveroll.

Conocido por su áspero estilo, comanda más de 23 000 empleados para lograr sus metas. "Él siempre piensa en grande", dijo un ejecutivo de Televisa.

Pese a su alto perfil y a su fama, el magnate del negocio televisivo en México mantiene en secreto sus negocios y su vida personal. Evita a la prensa y nunca ha concedido una entrevista personal.

Sin embargo, hace casi un año, dio una inusual conferencia de prensa a una docena de reporteros durante un reconocimiento a la telenovela *Los ricos también lloran*. Para sorpresa de muchos, Azcárraga dijo: "México es un país de una clase modesta muy jodida [...] que no va a salir de jodida. Para la televisión es una obligación llevar diversión a esa gente y sacarla de su triste realidad y de su futuro difícil".

Al final señaló a sus empleados: "...dejen que los fotógrafos me tomen algunas fotos porque para que me vuelvan a ver está cabrón".

Mientras sus admiradores afirman que es carismático y generoso, sus detractores lo describen como un autoritario, grosero y déspota. Ambos grupos, sin embargo, reconocen que es un hombre culto, a pesar de que solo cursó hasta la preparatoria en la Culver Military Academy de Indiana, según el libro *Who's Who in Mexico Today* del académico Roderic Ai Camp.

El Tigre Azcárraga, quien habla un inglés y francés fluidos, es un voraz lector de libros y amante de la música.

También le gusta rodearse de gente importante de la élite cultural, incluyendo al Premio Nobel de Literatura, Octavio Paz.

Pero lo que tanto amigos como enemigos respetan es la exitosa carrera empresarial que ha construido. "Se come al mundo", dijo uno de sus colegas más cercanos, quien pidió el anonimato. "Quiere gente que actúe rápido, pero nunca pide lo imposible."

Emilio Azcárraga, el más joven de tres hermanos y el único varón de los descendientes de Azcárraga Vidaurreta, siempre ha peleado contra la sombra de su padre. "Cuando un joven tiene padre con una fuerte personalidad, se convierte en un gran peso para él", dijo el colega.

Otro amigo cercano a la familia, quien también pidió el anonimato, reveló que el padre de Azcárraga Milmo era "encantador, alegre y querido por todos". En cambio, "Emilio [el hijo] está amargado y es temido por todos".

El poderoso empresario de medios inspira tanto temor que casi todos los entrevistados pidieron que sus nombres no fueran publicados. "Televisa es como un ejército donde hay una cabeza y todos se cuadran", dijo un analista bursátil. "Incluso a su familia la trae a raya. Yo creo que le tienen pavor."

La única persona con derecho de picaporte en sus oficinas es don Marcial, el bolero que por décadas ha lustrado los zapatos del *Tigre*.

Un analista dijo que este control vertical sobre la empresa no es bien visto por los inversionistas extranjeros. "No es posible que una empresa tan grande pueda seguir siendo controlada por una sola persona", comentó.

Sin embargo, una reciente encuesta conducida por la revista británica *Euromoney* posicionó a Televisa entre las 10 empresas mejor administradas de América Latina.

Por años, ninguna otra empresa mexicana fue tan hermética respecto a sus números como Televisa. Pero las cosas cambiaron cuando la compañía se convirtió en pública en 1991. La empresa colocó 20% de sus acciones en las bolsas mexicana y extranjeras de valores, obteniendo 808.7 millones de dólares.

El 13 de diciembre, Grupo Televisa recibió otros 989 millones de dólares en una oferta global de más de 10% de las acciones de la compañía. Los analistas pronostican que la empresa tendrá un crecimiento de 30% durante los próximos tres años. "Creemos que es una empresa muy atractiva", dijo Scot Galley, un corredor de bolsa de la firma de inversiones DA Campbell & Co. en Los Ángeles.

Sin embargo, algunos analistas cuestionan el control cuasimonopólico que Azcárraga ejerce sobre el consorcio.

Después de la venta de las acciones, él tendrá el control de más de 38% de las acciones de Televisa, incluyendo las que fueron adquiridas a su hermana, Laura Azcárraga de Wachsman.

De acuerdo con el prospecto de la oferta, Azcárraga tiene el control de voto de la mayoría de las acciones del Grupo Televicentro, que a su vez controla 52% de las acciones de Televisa.

La empresa es aún un fuerte rival para Grupo Radio Televisora del Centro, dirigida por Ricardo Salinas Pliego, que compró las dos cadenas de televisión estatales en julio del año pasado. Los analistas piensan que a Televisión Azteca de Salinas le llevará mucho tiempo competir contra Televisa por el mercado doméstico de televisión.

Para empeorar las cosas, el primero de diciembre Azcárraga adquirió la concesión de 62 estaciones de televisión del gobierno mexicano por 91.8 millones de dólares.

A Televisión Azteca le dieron solo 10. Las nuevas concesiones representan la cuarta cadena nacional de Televisa.

Al igual que la mayoría de los magnates mexicanos, Azcárraga es blanco de chismes. A los mexicanos les gusta hablar sobre sus cuatro matrimonios, sus pinturas de Picasso, sus tres jets Grumman, su yate de 45 millones de dólares, sus opulentas casas en la ciudad de México y California, y sus lujosos automóviles.

Pero, paradójicamente, el presidente de Televisa es como cualquier otro mexicano. Suele conducir su propio Mercedes Benz, su Rolls Royce o su Bentley. "No tiene un dispositivo de seguridad pese a su gran importancia", dijo uno de sus colegas.

Incluso, solía viajar en el metro e ir a la Lagunilla antes de que sufriera un ataque al corazón hace más de 10 años. Desde entonces viaja siempre con su doctor, José Monroy, acotó un hombre que ha conocido a Azcárraga Milmo por años.

Muchos se han preguntado quién heredará en el futuro las riendas del emporio. "Alguien lo hará como lo hizo él cuando murió su padre", dijo uno de los analistas.

Su hijo, Emilio Azcárraga Jean, es vicepresidente de programación de Televisa, pero raramente se menciona como posible sucesor. El sobrino, Alejandro Burillo Azcárraga, vicepresidente ejecutivo del consorcio televisivo desde hace 13 años, puede ser uno de los fuertes candidatos.

Muchos están entrenados para dirigir. "La prueba está en que Azcárraga se va dos meses y la empresa sigue. Pero ¿quién podría tener la visión?", dijo el ejecutivo.[5]

El segundo, sobre Slim, lo publicó la reportera Rossana Fuentes-Berain en *El Financiero* del sábado 22 de mayo de 1993:

Carlos Slim, más allá del mito

ROSSANA FUENTES-BERAIN

Silenciosamente, en tres décadas, el Grupo Carso se ha convertido en el grupo industrial más grande de México.

Su fuerza y su principal accionista, Carlos Slim, son motivo de mito, de especulación y de fantasía. Pero los números indican otra cosa.

Con ventas por más de 3400 millones de dólares previstas para 1993, el grupo Carso ocupa el primer lugar de los conglomerados mexicanos en términos de ganancias y capitalización de mercado.

La controladora dirigida por Slim emplea a 110 mil trabajadores en sectores claves de la economía nacional como bienes de consumo (Cigatam), comercio y servicios (Sanborns e Inbursa), telecomunicaciones (Telmex), autopartes y construcción (Condumex, Nacobre, Alumsa, Euzkadi) y minería (Frisco).

"Nuestra pretensión —dijo Carlos Slim— no es comprar para vender inversiones o empresas saneadas, sino desarrollarlas."

Informes presentados en la Bolsa Mexicana de Valores —las principales empresas del grupo son públicas—, indican que durante

169

1992 las utilidades netas de Carso presentaron un crecimiento real de 20.3%.

Las ventas del corporativo tuvieron, en el mismo periodo, un alza de 26%, mientras que los resultados de operación se incrementaron 45.9%, principalmente debido a una mejoría en márgenes operativos.

"Buscamos la mayor productividad. Las máquinas deben trabajar 24 horas, para eso están hechas. Aunque algunos piensan que se está explotando [a los trabajadores], es al revés, se está dando el triple de empleo", dijo Slim.

Relajado, con un puro Cohiba, Slim dirige el grupo desde sus oficinas corporativas, una vieja casa acondicionada sin otro lujo que un par de cuadros de Siqueiros, un óleo original de Natal Pesado y un librero con títulos empastados de las principales obras de la historia de México.

"La intención del grupo —vio al futuro— es concentrarse en bienes de consumo, comercio y servicios, telecomunicaciones, autopartes, construcción, minería y energía."

Los activos totales de Grupo Carso en 1992 registraron un avance del 29% para ubicarse en 14 586 522 nuevos pesos. La correduría internacional Barings Research estima que en 1993 podrían llegar a 18 603 000 pesos, y un año después sobrepasarían los 20 000 millones de nuevos pesos.

Tres décadas personales
Una pregunta reiterada en los círculos políticos, más que en los financieros, es: ¿de dónde sale Carlos Slim y cómo se constituye Grupo Carso?

Su historia no es misteriosa. Más bien, es larga. A los 26 años, en 1966, el sexto hijo de Julián Slim registró la Inmobiliaria Carso: Car, de Carlos y So, de Soumaya Domit Gemayel, su esposa desde entonces y madre también de sus seis hijos, tres hombres y tres mujeres.

Con el regalo de bodas familiar para comprar la casa de ambos, el ingeniero egresado de la UNAM construye su primer edificio en la calle de Bernard Shaw, colonia Polanco.

170

Soumi, como llaman a su mujer, y Carlos, viven en uno de los departamentos y los otros quince se venden para capitalizar a Carso.

El producto de esa primera venta no era, sin embargo, el único capital con que Slim contó para empezar sus negocios. A principios de siglo, en la sexta calle de Capuchinas número 3638, un enorme letrero anunciaba "La Estrella de Oriente".

Como en tantos otros comercios del centro, atrás del mostrador y frente a incontables cajones de madera para guardar "mercería, juguetería y otros efectos correspondientes", estaban "los árabes", los hermanos Slim, de ascendencia libanesa, quienes de acuerdo con la Notaría Pública 11, hace 79 años, el 11 de mayo de 1914, disolvieron su sociedad para que el más chico, Julián, y su familia se quedaran con el negocio. Pagó 30 000 por el 50% a su hermano, en 20 meses.

Eran épocas de turbulencia. En el Palacio Nacional, el pegaso de la fuente del patio central atestiguaba cómo y cuánto cambiaban los ocupantes de la silla presidencial, cuando la confusión revolucionaria propiciaba que cada facción imprimiera sus propios bilimbiques que hacían valer a punta de bayoneta.

Entre tanto, Julián Slim invertía en bienes raíces lo que llegaba a la tienda. Compró varios predios aledaños al Zócalo, principalmente en 1919. Otros, durante "la Bola", lo único que querían era deshacerse de sus propiedades.

Durante otra crisis, en 1982, su hijo menor Carlos y su Grupo Carso repiten el mecanismo de crecimiento.

"La familia Slim siempre fue vista como una familia próspera dentro de la comunidad [libanesa], aunque no tanto como ahora", indicó Emilio Aarun Tame.

En 1950, a los 10 años, Carlos Slim, quien más adelante daría clases de álgebra en la UNAM, llevaba la contabilidad de sus gastos personales en cuadernos de pastas duras y lomo de tela que le eran revisados en la casa familiar. En 1955, formulaba sus balances.

"Al final de la semana había carreras para cuadrar los números", recordó mientras hojeaba los cuadernos con olor a humedad, pero sorprendentemente preservados.

Desde esa época, Slim empieza a invertir sus domingos, regalos de cumpleaños y de graduación en títulos bursátiles.

Hasta la fecha, los números y las cuentas son su pasión. No es inusual que maneje, de memoria, parte de los balances financieros de sus empresas.

En 1966, además de Inmobiliaria Carso, Slim, el inversionista, establece otro negocio del que no habría de desprenderse más, la casa de bolsa Inversora Bursátil, "Inbursa", donde empezaron su carrera los actuales dueños de Banamex, Roberto Hernández y Alfredo Harp Helú, primo de Carlos.

Constituidas las dos piezas iniciales de su estrategia de negocios, durante una década el ingeniero Slim combina sus actividades entre el negocio inmobiliario y de la construcción con la Bolsa de Valores, donde sobresalía por su falta de interés en participar del ambiente de elitismo y atención a las formas que domina el medio.

Incluso, recordó un viejo amigo, en 1973 lo sacaron del edificio de la Bolsa por no llevar corbata.

Veinte años y muchos millones de pesos después, Slim sigue sin prestar demasiada atención a su presentación. Identificado por las revistas *Forbes* y *Fortune* como uno de los hombres más ricos de Latinoamérica, adjudicándole una fortuna personal de cerca de 700 millones de dólares, Slim maneja un Thunderbird 1989, se quita el saco para estar más cómodo, no lleva mancuernillas y, aunque las camisas son monograbadas, el algodón, el cuello y las mangas contrastan con las cortadas por los sastres londinenses de Jermyn Street que usan otros de su nivel.

Contra la corriente

En 1976, el ingeniero e inversionista Slim suma a sus títulos el de industrial. Compra Galas, una imprenta que manufacturaba las envolturas de los paquetes y cajetillas de Cigarrera La Moderna.

El creciente vínculo entre Galas y Cigatam derivó en la primera compra espectacular de Carlos Slim: la empresa cigarrera más importante de México, base de la segunda etapa de acumulación del grupo.

La operación de Cigatam iba a contracorriente de la tendencia empresarial. En esos días, el sexenio lopezportillista terminaba en medio de la crisis del petróleo, fuga de capitales, devaluación del peso y la debacle financiera.

¿Por qué lo hizo; por qué compró Carlos Slim?

"Aquí vivo, aquí nací, de aquí soy, es el lugar donde murieron mis padres, viven mis hijos, este es el país de donde soy. ¿Por qué habría de ir a otro lado?"

Entre 1981 y 1986, Carso se lanza en lo que los analistas estadounidenses denominan un *shoping spree,* o sea, un furor de adquisiciones. Agrega nueve empresas más.

"No se trata únicamente de comprar barato y vender caro; esa es una forma muy simplista. Debe comprarse, y así lo hicimos, con criterio de inversión a largo plazo. En sectores que tienen perspectivas."

Esa apuesta, con espíritu de riesgo y conocimiento de los ciclos históricos, llevó a Paul Getty y a John Rockefeller a acumular grandes fortunas. "Slim representa a una nueva generación de empresarios que usaron su dinero astutamente en los ochenta", indicó Roderic Ai Camp, especialista de la Universidad de Tulane y estudioso de las élites económicas, políticas y militares.

A pesar de las compras, Slim pareciera no haber dejado enemigos empresariales visibles en el camino. Por ejemplo, el abogado de una empresa adquirida en ese momento, lo más que pudo decir fue que en ocasiones se habían manifestado "algunas diferencias de estilo".

Aun empleados de las viejas administraciones, dolidos también por las formas y procedimientos, le reconocen agudeza empresarial.

Entre sus pares, los empresarios, nadie quiere criticarlo, ni en privado.

Sea porque las adquisiciones se hicieron cuando lo que querían era precisamente vender, sea porque Carlos Slim se erige ahora como una fuerza innegable en el ambiente empresarial, o por las dos cosas, su figura en el medio aparece unidimensional.

El universo de los negocios, su filosofía

Su concentración unidireccional, en cuanto al sentido en el que deben marchar las empresas, parte, sin embargo, de un universo que se arma como un caleidoscopio.

Apasionado de la historia, se encuentra por encima de las discrepancias que desgarran a los historiadores actuales. Lo mismo cena con Enrique Krauze, subdirector de *Vuelta,* que con Héctor Aguilar Camín, director de *Nexos.*

Al final de una semana de trabajo, con jornadas frecuentemente de 16 o más horas, se da tiempo para fascinarse de la conversación del cronista Guillermo Tovar de Teresa.

Recuerda con cariño a Fernando Benítez, con quien ha viajado por el sureste del México prehispánico.

Benítez lo introdujo con muchos de sus amigos, como Carlos Payán, director de *La Jornada,* y con el escritor Carlos Fuentes.

¿Por qué busca Slim la compañía de intelectuales?

Slim no nos busca, atajó Fuentes, nosotros nos enriquecimos de su "frescura y espontaneidad". Slim no se sorprende al preguntársele sobre su relación con los intelectuales. "Mi trabajo es pensar", afirmó.

Slim: el lastre de la década perdida

En medio de la crisis, para rescatar a los grandes grupos industriales que se debatían entre la quiebra y la insolvencia, el gobierno creó Ficora. Carso, entre tanto, partía sin lastres.

En 1986, Carso controlaba ya la mayoría de las empresas del grupo. De 1987 a 1989 se dio a la tarea de consolidar y aumentar su participación accionaria e imprimir a las empresas recién adquiridas una filosofía operativa de cosecha propia.

Slim, ávido lector de biografías de empresarios como Sam Walton, Paul Getty y Dupont, y estudioso de colecciones de casos de éxito y fracasos empresariales, resume su filosofía: "Consolidación, reestructuración, eficientización, modernización e inversión".

Todo, explicó, en el contexto de que "lo que se está haciendo es administrar los recursos de la sociedad; los errores y la falta de eficien-

EN BUSCA DE LA NOTICIA

cia empresarial pueden ser tan perjudiciales como una mala administración pública".

Bajo esos principios, Slim supervisa muy de cerca las operaciones de las empresas desde la controladora.

"Los esfuerzos por eficientar las plantas productivas son básicos", afirmó. "Tienen que trabajar con las mismas normas que en el exterior y al mismo ritmo."

Desde sus oficinas y en cumplimiento de otra de sus reglas de oro: reducir al mínimo el corporativo, Slim maneja la controladora con un *staff* pequeño, dominado por una decena de contadores y dos secretarias.

"El aspecto contable es fundamental para tomar decisiones: los estados financieros, los balances, las cuentas por cobrar, las atrasadas, la venta en unidades", dijo Slim.

Los directores de cada empresa del grupo tienen la responsabilidad directa de la operación, a la cual le imprimen su propia personalidad.

La racionalización de los métodos productivos y la creación de nuevos productos son igualmente aspectos a los que Slim otorga un gran peso al describir su filosofía.

"Lo más importante es que trabajemos con gusto, con un horizonte, con un criterio general de adónde vamos", señaló Slim.

Telmex y los rumores

La joya en la corona del Grupo Carso es, sin lugar a dudas, Teléfonos de México, que en 1992 aportó el 39% de las utilidades de la controladora.

Al comenzar la década de los noventa esa adquisición catapultó al grupo al estrellato nacional e internacional.

Carlos Salinas de Gortari llevaba dos años en la presidencia de la República. Su proyecto económico era claro: continuar el adelgazamiento del Estado, a través de la venta de paraestatales y, ¿qué mejor que continuar los golpes espectaculares de principios de su sexenio que vendiendo Telmex? La compañía telefónica, blanco preferido del odio de sus usuarios.

Los grupos mexicanos Accival, Inverlat y Carso, junto con 12 extranjeros, comenzaron a estudiar el proyecto.

"Southwestern Bell vio, desde mediados de los ochenta, que había importantes oportunidades de crecimiento internacional y México era una opción", comenta David Osborn, vicepresidente internacional de la compañía.

Desde sus oficinas de San Antonio, adonde se instalaron para estar cerca de sus socios mexicanos, Ron Symes, el ejecutivo de Southwestern que inició contactos con el Grupo Carso, relata el encuentro con Slim:

"Sabíamos que no tenía conocimiento del sector [telecomunicaciones], pero contaba con un historial de tomar una compañía en problemas y darle la vuelta. La química fue buena y empezamos a trabajar. Sentimos que podíamos presentar juntos una combinación invencible."

A Southwestern Bell y Carso se unió France Telecom.

Para Tom Middleton, de Salomon Brothers —la firma que actuó como asesor financiero de la operación—, era claro que todos querían el trato, pero no estaban dispuestos a obtenerlo a cualquier costo. "La negociación se puso dura en varios momentos. Slim, desde una perspectiva *yankee* jugó a llegar a la raya (*brinksmanship*), pero es un hombre que escucha, y creo que en el toma y daca obtuvo como 80% de lo que pedía."

El 10 de diciembre de 1990 se publicaron las modificaciones al título de la concesión de Teléfonos de México y diez días después, con una oferta superior en 70.4 millones de dólares a la del competidor más cercano, Carso compró un poco más del 5% de las acciones totales de Telmex y un poco más del 25% de las acciones doble A. Estas acciones tienen restricciones para su venta por más de 10 años, por eso no se operan en la bolsa.

Sus socios, Southwestern Bell y France Telecom, se quedaron cada uno con 5% de los títulos doble A.

"Nadie me lo va a creer, pero pensamos que estábamos pagando mucho por las acciones. Tanto, que no tomamos la opción adicional de compra de acciones", señaló Slim.

176

El precio de venta superó en 17.2% al precio de Telmex en el mercado.

Tras conocerse la operación saltaron rumores de que Carso y Slim eran prestanombres. Que los verdaderos dueños de Teléfonos de México eran los políticos salinistas...

"Por supuesto, he oído rumores sobre los vínculos entre Slim y Salinas", indicó Camp.

Desde su perspectiva analítica, el origen de los rumores, "independientemente de que sean ciertos o no, [es que] la gente duda de las decisiones gubernamentales que no se toman abiertamente sino en privado, dentro del gabinete, y porque resulta imposible saber si todos tuvieron el mismo acceso y las mismas posibilidades para ganar el concurso", explicó el investigador.

Slim, al que no le hacen gracia los chistes del presunto vínculo, aseguró que "los hechos son que Carso desde 1981 era muy fuerte, continuó aceleradamente su crecimiento y para 1986 tenía, salvo Telmex y las compras de 1992, todas las empresas que forman el grupo".

De Telmex, en específico, Slim afirmó que se compró con ofertas públicas en exceso de la inversión; los principales socios, empresarios todos, aparecen en los prospectos de colocación que son públicos.

Convertido en mito, recoge por ahí algunas descripciones como la de "nuevo Rey Midas"; Slim enfrentó también rumores de que su capital provenía de Líbano, de su poderosa familia política, los Gemayel.

"¿Qué ventaja podría haber? ¿Qué razón para que un funcionario público nacional o extranjero se haga socio de Carso?", preguntó.

En todo caso, cualquiera pudo haber comprado acciones de Telmex directamente, "ahí estaban en el mercado millones de acciones más baratas y con liquidez", añadió.

"¿Qué ventaja podría haber en una asociación con políticos?", insistió. "¿Por capital?, no, y si vinieran buscando influir en las decisiones del Grupo, eso es inaceptable por parte nuestra."

Slim cerró el tema: "Solo el rumor o la maledicencia" explican que corran esas versiones.

Por encima de dicho público, los inversionistas internacionales otorgan a Grupo Carso más que el beneficio de la duda. Recomiendan sin reparos la compra de sus acciones.

"Slim impresiona a los inversionistas institucionales porque no les pide que hagan nada que él no haya hecho… como invertir su propio dinero", dijo Sonia Dulá de Goldman Sachs.

Más allá de las fronteras

El grupo no cotiza en Nueva York, ni parece tener planes de hacerlo. Slim espera mayor definición de cómo operarán los registros una vez firmado el TLC.

Pese a ello, inversionistas institucionales extranjeros ya tienen en su cartera a GCarso, que es como aparece en las pantallas.

"Hace un año y medio que las tenemos", señaló Carolyn Schloss, de la firma Kemper Financial y, al igual que su colega Francisco Chevez de Smith & Barney, resaltó que la decisión de tomar posiciones se debe a la confianza en el grupo.

Para los analistas de Wall Street y de la City resulta "refrescante" la renuncia de GCarso a tener un perfil más alto, según dijeron varios de ellos. Aunque este estilo tiene también sus desventajas, pues se cree que presentan cifras demasiado conservadoras de la compañía.

"El múltiplo de la acción (9.7: primer trimestre del año) no refleja el potencial del grupo y eso se debe a un problema de percepción", indicó Schloss.

La mayor exposición del Grupo Carso a las reglas del juego de la comunidad internacional podría llegar a cambiar esa parte de la cultura corporativa.

Slim dice ser consciente de que la globalización implicará nuevas formas de hacer negocios: "en la medida en que se firme el TLC y estemos integrándonos a otros mercados no solo será necesario sino recomendable que las empresas mexicanas se conozcan e inviertan fuera; esto no es nada más de un lado, tendrá que ser de los dos", concluyó.[6]

El tercero es sobre Enrique Peña Nieto, y se publicó el 2 de diciembre de 2012 en *24 Horas* y ejecentral.com.mx:

La construcción de un presidente.

El destino lo alcanzó

Empezó a dibujarse en Tlalnepantla, el 17 de marzo de 2005, cuando arrancó su campaña para el gobierno del Estado de México. Enrique Peña Nieto no figuraba entre los aspirantes más robustos para el relevo de Arturo Montiel, y parecía un político demasiado bisoño y sin mucho fondo. "¿De verdad crees que este muchacho pueda ser gobernador?", cuestionó poco después de conocerlo el director de un periódico nacional a David López, en ese entonces responsable de la comunicación de la CFE, que los fines de semana le ayudaba a presentarse con personalidades de los medios.

Peña Nieto no lucía como el heredero de la maquinaria de poder del Grupo Atlacomulco, mítico en la política mexicana por haber generado una legión de personalidades y que produjo una escuela de liturgias y trabajo colectivo que marcaría a aquel joven que comenzó a absorber política en la secundaria, cuando su tío Alfredo del Mazo llegó a la gubernatura de su estado en 1981. Se veía pequeño ante figuras como Alfonso Navarrete Prida, el poderoso procurador mexiquense con una historia jurídica propia, que miraba a Peña Nieto hacia abajo, como si fuera un pequeño obstáculo más en el camino hacia el poder estatal.

Montiel se había rodeado de jóvenes políticos que utilizó como contrapeso de los poderosos grupos de interés que capitaneaba Miguel Sámano, el influyente secretario particular del gobernador. Los llamaban los *Golden Boys*, un mote que salió de la oficina del entonces secretario de Gobierno Manuel Cadena, donde también se encontraba Luis Miranda, uno de los mejores amigos de Peña Nieto, y Carlos Iriarte, también muy cercano a él y actual alcalde de Huixquilucan. La decisión se tomó por el más tímido de los *Golden Boys*, y nadie se arrepintió.

El poder que no se le veía en los prolegómenos de la candidatura se convirtió en una locomotora durante la campaña, donde conectaba de manera automática con la gente. Quienes los vieron en mítines hace seis años, sin el factor de fuerza agregado de su personalidad telegénica, pudieron ver lo que durante la reciente campaña presidencial se observó: la gente se le encimaba, las mujeres le gritaban, lo acariciaban, le daban besos. Todos se querían retratar con él y tocarlo. El fenómeno carismático comenzó en ese momento.

Peña Nieto ganó sin problema la elección para gobernador, pero el efecto de la candidatura presidencial de la izquierda, Andrés Manuel López Obrador, provocó un dominó que le arrebató al PRI corredores que dominaba y pintó de amarillo muchas partes del Estado de México. "En ese momento, en 2006, sin decirlo visualizó el futuro", dijo uno de los colaboradores que más lo conocen. "Tras perderse la elección presidencial, comenzó a apoderarse del PRI."

Felipe Calderón y López Obrador se disputaban la victoria, y pese a la abrumadora derrota del candidato del PRI, Roberto Madrazo no quería reconocerla. Desde la misma noche del 2 de julio de ese año, Peña Nieto habló con los gobernadores para que lo presionaran a admitir que había perdido. "Hay que hacerlo ya", les dijo. "Tenemos que reconocer no solo la derrota, sino también la victoria. Tenemos que ser institucionales." Para ese momento, con los datos del IFE, el triunfo de Calderón era irreversible. Madrazo salió el 4 de julio, rodeado de los líderes del PRI y los gobernadores, a conceder la derrota y la victoria del panista.

La humillación a Madrazo era también un revés del que no se repondría el grupo que aspiró sin éxito a la candidatura presidencial del PRI en 2011, pero que a diferencia de Peña Nieto no se había trazado una estrategia de largo plazo. Desde que asumió la gubernatura del Estado de México, Peña Nieto estableció lo que quería hacer, hacia dónde ir, y cómo lo iba a hacer. La primera señal, un día después de rendir protesta, fue reunir a su gabinete a las ocho de la mañana del 16 de septiembre de 2005 para decirles que los había escogido por ser los mejores para las responsabilidades que les asignó, y leerles la cartilla: honestidad, acercarse a la gente y un plan de acción inmediata, a 150 días, el inicio de los compromisos de gobierno. Obra pública y trabajo con los ciudadanos como estrategia local. Hacia afuera del estado, decidió que iba a asistir a cada toma de posesión de gobernador, y a cambio ellos tendrían que corresponderlo en cada uno de sus informes. Estaría en cada campaña de candidato a puesto federal o gobernador, y apoyaría.

Esa estrategia le dio presencia nacional. "Peña Nieto tiene una gran sensibilidad para entender la necesidad de utilizar a los medios de comunicación", dijo uno de sus colaboradores cercanos. "Desde que arrancó, sus campañas han sido mediáticas." El primer día de sus actividades, cuando habló con su gabinete antes de irse de gira, hubo una explosión en una fábrica de cohetes en Tultepec. No dudó en cambiar la agenda y viajar a esa comunidad, donde se comprometió a construirles un mercado con las medidas de seguridad para evitar siniestros como el de ese día, lo que se convirtió en una de las obras cumplidas de su gobierno.

Aun para los críticos, esa estrategia de permanente contacto con los mexiquenses dio resultados positivos. En las elecciones intermedias en 2009, volvió a arrebatarle al PRD victorias y bastiones y comenzó a hundir electoralmente al PAN. La recuperación priista en el estado le dio prestigio como jefe político de esa maquinaria de hacer votos. Con su fuerza colocó piezas estratégicas al frente de comisiones en la Cámara de Diputados, como su secretario de Finanzas, Luis Videgaray, quien se convirtió en presidente de la Comisión de Presupuesto.

El dinero es el corazón de la política, y Peña Nieto lo hizo latir a su ritmo. Todos los gobernadores del PRI y sus sectores tenían que pasar por la aduana de Videgaray y, en caso extremo, pedirle favores al gobernador mexiquense para que los respaldaran en San Lázaro. Todos los gobernadores de oposición también tenían que lidiar con el poder mexiquense. Videgaray fue quien establecía la relación financiera con el gobierno federal mientras que Peña Nieto, discretamente, forjaba un canal de comunicación directa con el presidente Felipe Calderón por conducto de sus secretarios de Gobernación, principalmente Juan Camilo Mouriño y Fernando Gómez Mont.

Peña Nieto se consolidó como fuerza determinante en el PRI en esas elecciones intermedias. Para entonces la aspiración presidencial era una realidad no admitida públicamente, pero como decía en privado, para poder llegar a 2012 tenía que pasar la frontera de 2011, las elecciones para gobernador en el Estado de México. Después de la victoria en 2009, dijeron cercanos a él, definió cuál sería su siguiente enemigo: una alianza PAN-PRD en las elecciones estatales. Peña Nieto hizo un trabajo en distintos niveles para sabotearla. Por un lado, sus operadores políticos cooptaron a quienes pudieran forjar la alianza con la izquierda. Por el otro, negoció con Gómez Mont, con el aval de la entonces líder del PRI, Beatriz Paredes, un acuerdo con el PAN que impidiera la *guerra sucia* y, sobre todo, una alianza electoral.

Trabajada la oposición, empezó la labor del sucesor. Meses antes de la selección de candidato, en una plática con los conductores de Radio Fórmula dijo que solo había dos: Videgaray y Alfredo del Mazo, su primo, que era presidente municipal de Huixquilucan. En vísperas de la designación en marzo del año pasado, los mensajes en su equipo indicaban que Del Mazo sería el candidato. El eficiente alcalde de Ecatepec, Eruviel Ávila, estaba listo para ser el candidato del PRD, pero en la víspera del *destape*, le respondió por BlackBerry a un periodista amigo que le preguntaba sobre su inminente derrota: "Aún no está decidido nada".

Ávila surgió como el sucesor de Peña Nieto, lo que se interpretó en ese momento como una decisión fría y pragmática. Lo fue, porque como diría a sus cercanos en todas las campañas cuyos arranques atestiguó, y en el análisis de los resultados, ganaron únicamente quienes eran buenos candidatos y no los que había seleccionado el partido en el acomodo de los grupos políticos de interés. Aun así, sorprendió. Cuando Peña Nieto notó esto entre algunos de sus cercanos, les decía con una sonrisa: "¿Pues qué no viste todas las señales?" En retrospectiva, recuerdan, sí hubo una muy importante, el 3 de octubre de 2010, cuando festejó los quince años de su hija mayor, Paulina, e invitó a todos los aspirantes. Todos, sin excepción, se pasaron de copas esa noche, y a todos vio en situación inconveniente, pero solo a uno de ellos le mandó decir que se cuidara: era a Ávila, quien abandonó las copas totalmente.

La candidatura de Ávila fue altamente exitosa y su victoria humilló a la oposición. La plataforma final para la presidencia había terminado de construirse. Iba a arrancar con un déficit de opinión pública, que lo consideraba un político artificial construido por Televisa, algunos de cuyos ejecutivos, en efecto, se ufanaban de ello. "Le invertimos mucho", presumían en confianza. No era algo que en ese entonces le preocupara.

Cuando en 2006 apareció en la portada del semanario *Proceso* una propuesta de Televisa a Peña Nieto para un paquete político y comercial por 700 millones de pesos, lo llamaron a su casa de Ixtapan de la Sal, donde le gusta descansar los fines de semana, para informarle y que diera instrucciones de cómo atajar el *periodicazo*. "¿Por qué les preocupa tanto si todo es falso?", respondió, sorprendiendo a sus interlocutores. Al día siguiente, en la conferencia de prensa que desde el principio de su gobierno ofrecía los lunes en Toluca, salió de esa pregunta en treinta segundos. Se acostumbraría a vivir con esa imputación.

Tras la victoria en el Estado de México, Peña Nieto estaba en las nubes. En noviembre pasado, como precandidato, dominaba la agenda en los medios de comunicación y todo giraba en torno a él. Fue a Washington y habló con los equipos editoriales de *The Washington Post*, *The New York Times*, *The Wall Street Journal* y Bloomberg. Dio una conferencia de prensa en el Edificio Nacional de la Prensa en Washington, y al final varios periodistas estadounidenses le aplaudieron. Entonces llegó la Feria Internacional del Libro en Guadalajara.

Arrancaba diciembre, en vísperas de la selección de candidato presidencial del PRI, cuando no pudo responder la pregunta inocua de un corresponsal español sobre tres libros que hubiera leído. Aunque el incidente era menor, por su tamaño en la opinión pública se convirtió en un problema de imagen. "Diciembre fue un mes muy triste", recordó una de las personas que vivieron ese momento. Pero al comenzar enero, el día 2, llamó a una reunión a sus cuatro principales colaboradores, Videgaray, quien sería el coordinador de la campaña, Miguel Ángel Osorio Chong, que se encargaría desde el PRI de la operación territorial, David López, en comunicación, y Miranda. "¡Basta!", exigió. "Quiten esas caras. Vamos a preparar otra campaña. Somos la mejor opción. Vamos a echarnos para adelante. Vamos a darle la vuelta."

"En chinga, en chinga", como suele decir a veces con un lenguaje florido que no es tan ajeno a él, estaba como siempre, con prisas. En enero convocó a lo que sería su *cuarto de guerra*: Videgaray, Osorio Chong, López, Pedro Joaquín Coldwell, el presidente del PRI que siempre presidía; Miranda, Jorge Carlos Ramírez Marín, ex presidente del Congreso; Jesús Murillo Karam, Emilio Gamboa, Liébano Sáenz, ex secretario particular del presidente Ernesto Zedillo; Roberto Calleja, responsable de medios en el partido; Eduardo Sánchez, el vocero; Erwin Lino, su secretario particular; Benito Neme, su amigo y jurídico, y los jóvenes Aurelio Nuño y Francisco Guzmán.

En la primera reunión, las que siempre empezaban a las diez de la noche y eran a morir, les dijo: "Lo que yo necesito es que ustedes tomen las decisiones, que dispongan de mi agenda y digan cómo hacer la campaña. Yo quiero disfrutar la campaña y estar cerca de la gente". Para cuando arrancó la campaña en marzo, todo estaba perfectamente planeado. En los tres meses de veda electoral, mientras su equipo de campaña preparaba agenda, discursos, giras, grabó todos los *spots* con la cinematografía de Pedro Torres y la creatividad de Ana María Olabuenaga. Una vez más, ante la debilidad del arranque de las otras candidaturas, Peña Nieto volvió a montarse sobre las nubes.

Su equipo reflejaba el ánimo del momento. Soberbios, prepotentes, distantes, se sentían tallados a mano por la forma como les estaban saliendo las cosas. En el primer mes de campaña, el candidato ya había visitado casi la mitad de los estados. En el primer debate presidencial, en mayo, Peña Nieto no salió a administrar su notable ventaja en las preferencias electorales, sino que cuando fue necesario le respondió a López Obrador. Sin ganar en la opinión pública, ganó, pues derrumbó leyendas populares como que no sabía improvisar ni leer fuera de *teleprompter*, y que solo en espacios controlados se podía mover con comodidad. Pero como había sucedido en Guadalajara, llegó una segunda crisis, la visita a la Universidad Iberoamericana a mediados de mayo.

Un buen encuentro en el auditorio, donde había podido superar las tensiones internas por el maltrato que al momento de entrar al recinto sufrieron los estudiantes, se convirtió en una pesadilla afuera por una protesta que comenzó focalizada y se generalizó, donde ni tuvo los reflejos para salir rápidamente de la universidad, ni su equipo de seguridad la capacidad para llevarlo por lugares seguros. Declaraciones de Coldwell y Gamboa denostando a los estudiantes los irritaron más y dieron pie a la creación del movimiento #YoSoy132 que se convirtió en su sombra. "Aquello nos hizo mucho daño", recuerda uno de sus colaboradores. Tanto, que no se lo pueden sacudir aún.

Ese episodio se dio en el contexto de la campaña negativa que había hecho el equipo de Josefina Vázquez Mota, que en quince días de *spots* sobre compromisos incumplidos en el Estado de México no solo le había colocado nueve puntos negativos sino que había frenado, y sería para toda la campaña, su ascenso en las preferencias electorales. El #YoSoy132 contribuyó a crearle la imagen de vulnerable y que era posible derrotarlo en las urnas. La campaña del PAN no fue acompañada por una buena estrategia de Vázquez Mota, que no capitalizó lo perdido por Peña Nieto. Quien lo hizo fue López Obrador, que con un incremento en las preferencias y una caída sustantiva de negativos, se convirtió en un adversario de peligro a la mitad de la campaña.

Las *tracking polls* de las campañas para medir *spots*, discursos y comportamiento electoral diario mostraban que de mantenerse las tendencias, si no pasaba algo extraordinario, la elección se cerraría y sería posible que López Obrador, cuando se decantara el voto por Vázquez Mota que no votaría jamás por el PRI, obtuviera con él la victoria, como el voto de la izquierda le dio a Vicente Fox el triunfo sobre Francisco Labastida y el PRI doce años antes. Pero vino ese momento providencial para Peña Nieto, también en mayo:

Se encontraba en Cancún, a la hora de la cena, cuando su equipo recibió la información de que al día siguiente el periódico *Reforma* iba a publicar una encuesta donde la diferencia entre él y López Obrador era de cuatro puntos; casi un empate técnico, pero que en las condiciones como había iniciado la campaña, representaba un golpe mediático contra el priista. A la mañana siguiente viajó a Mérida. "¿Sabes qué?", le dijo a López en la camioneta que los transportaba cuando le entregó una copia de la encuesta: "Esto nos va a ayudar a que ganemos".

Paradójicamente, al haber sido *Reforma* un periódico que sistemáticamente jugó en contra de Peña Nieto y a favor de López Obrador, así fue. Desde Los Pinos se ratificó la instrucción a la campaña de Vázquez Mota para que no volvieran a atacar a Peña Nieto en *spots* y realinearan sus cañones contra López Obrador. En *El Universal* se publicaron los detalles de una cena organizada por el primo del ex senador Santiago Creel donde dos asesores de López Obrador habrían pedido dinero para la campaña muy por encima por lo permitido en la ley. En una reunión con políticos, académicos y activistas, María Elena Morera, quien creció sus organizaciones de la mano de gobiernos panistas, le preguntó al candidato de la izquierda si aceptaría públicamente la derrota en la elección presidencial.

López Obrador no supo responder con velocidad ante el cambio de dinámica en la campaña presidencial y se hundió. Vázquez Mota estaba derrotada casi desde el principio. Peña Nieto cerró la suya y organizó un ejército de abogados para lo que esperaban sería una larga lucha postelectoral; no fue así ante la diferencia sustantiva de votos frente a López Obrador. El 31 de agosto el Tribunal Electoral le entregó la constancia de mayoría a Peña Nieto y en la noche, en su casa, celebró la victoria con una cena reducida. Estaban Videgaray, Osorio Chong, Miranda y López, los mismos a quienes les dijo el 2 de enero que se echaran para adelante, que él era la mejor opción para el país. Festejaría que las urnas lo habían llevado al final de su destino. La presidencia será una nueva historia.

MOSTRAR EL DETALLE

La crónica es un género complicado que apela indispensablemente a la precisión visual y a la búsqueda incansable del detalle. También llamada "nota de color", es un género utilizado con mucha frecuencia en los medios impresos. Sin embargo, también se le malgasta.

Suele afirmarse que no todos los periodistas pueden escribir crónica, pero ello es incorrecto. Con reglas básicas, con recomendaciones puntuales, con el rigor de la observación y la metodología del reporteo, cualquiera puede redactarla.

Nunca habrá crónica si no hay un acontecimiento que platicar a los lectores. La crónica no es el reportaje, que descubre los códigos sociológicos, ni tampoco el perfil, que muestra la psicología de un individuo.

La crónica constituye una narración que engloba una forma de ver la noticia. Puede ser redactada en forma cronológica o a partir de un momento climático. Puede ser sobre un acontecimiento determinado, o bien sobre una persona.

Veamos esta crónica sobre el controvertido Pat Buchanan, candidato a la nominación republicana para la presidencia de Estados Unidos:

El candidato de la incorreción política estaba incontenible. Al hablar ante un auditorio repleto de estudiantes de Dartmouth que lo admiran, Patrick J. Buchanan llamó a Deng Xiaoping un "enano comunista de 85 años que fuma como chimenea". Despedazó a Charles Black, que es un estratega de la campaña presidencial de George Bush, y quien ha hecho cabildeo para consorcios japoneses que buscan hacer negocio en Estados Unidos, al identificarlo como una "geisha del nuevo orden mundial".

Atacó al secretario de Vivienda y Desarrollo Urbano, Jack Kemp, quien ha sido el principal promotor del gobierno para ayudar a los pobres y a los marginados, al decir que "se ha vuelto nativo". Y a la joven mujer que se quejó de sus comentarios, le replicó: "En esta campaña me han llamado antisemita, homófobo, racista, sexista, proteccionista, aislacionista, un fascista social y un ultraconservador. Y todavía tienen cara para preguntarme si soy sensible. No soy nada de eso".

Con esta poderosa introducción la reportera Maureen Dowd, de *The New York Times,* buscó narrar la personalidad del político mediante sus gestos y hábitos. La crónica continúa:

Los comentarios de Buchanan sobre temas delicados —de Israel a la inmigración, de los desplazados al comercio exterior— no son equivocaciones. Son, en una forma, el fundamento de su campaña. A lo largo de los años, a través de sus columnas en periódicos y sus comentarios de televisión, Buchanan se ha convertido en una celebridad por envolver sus opiniones de derecha en una retórica picante.

Su campaña se llama "Estados Unidos primero", pero por manejar un Mercedes Benz y usar corbatas Hermès, más bien podría llamarse "Alemania primero" o "Francia primero".

El puntaje del joven católico irlandés del noroeste de Washington, que creció en "un mundo de claridad y absolutos", donde la "santísima trinidad política" de su padre era Francisco Franco, Joseph R. McCarthy y Douglas MacArthur, lo ha convertido en un pujante candidato que busca la presidencia o, más realistamente, el liderazgo del movimiento conservador.

No hay que confundir la crónica sobre un personaje con el perfil. En esta crónica la reportera dibujó al controvertido político sobre la base de su participación en un evento, no lo desnudó como lo haría un perfil.

La diferencia fundamental entre una crónica y un perfil es que la primera pretende una narración epidérmica, mientras que el segundo busca la introspección.

También son muy diferentes en cuestiones metodológicas. Mientras el perfil requiere de un largo proceso de investigación a fin de poder entrar a la mentalidad y el comportamiento del sujeto, la crónica dispone de la observación como herramienta principal.

El gran mérito de un cronista es recoger todo aquello que se encuentra en la superficie, como Honorato de Balzac: acumular implacable y meticulosamente todos esos detalles que disparan los recuerdos del lector sobre su propio estatus, sus propias ambiciones, inseguridades, deleites, desastres, además de las mil y una humillaciones y golpes que por su condición recibe en la vida cotidiana, y los rescata una y otra vez hasta que se crea una atmósfera rica y absorbente.[7]

Esta fue una técnica que se utilizó en una crónica realizada en el sur de Zaire, cuando en diciembre de 1996 se iniciaba la guerrilla que terminaría derrocando al dictador Mobutu Sese Seko.

Los Lagos: una guerra de castas
Un paseo con la muerte

Bosque Virunga, este de Zaire. Dar un paseo por el reino de la muerte no es una metáfora en este bosque de rocas volcánicas. Aquí, la muerte es parte del paisaje cotidiano.

Donde había leones y chimpancés, ahora hay fosas comunes, donde las víctimas han sido ejecutadas con tiros de gracia.

Donde había sombras protectoras por la exuberante vegetación, hoy solo hay trozos de madera junto a donde muere gente por deshidratación o rostizada por el sol.

Bellos campos verdes con horizontes lejanos están devastados, arrasados por los miles de pisadas en olas desesperadas de aquellos que han buscado escapar de la muerte.

El bosque Virunga se ha convertido en un escondite o en un cementerio para miles de refugiados hutus y zaireños que, huyendo de la limpieza étnica que están cometiendo los rebeldes tutsis en su insurrección militar en el este de Zaire, buscan aquí una esperanza de vida.

En todo el bosque, calcula el gobierno de Zaire, hay más de 200000 personas en tal situación. En la gran zona de conflicto armado que se extiende por toda esta región, un funcionario de la Oficina del Alto Comisionado de Naciones Unidas para Refugiados en Nairobi calculó en 500000 las personas que se encuentran en una situación crítica.

"Estamos en una situación sin precedente", agregó. "Cada día es más crítica. No hay comida. No hay agua. No hay servicios."

Sus palabras no reflejan la gravedad del problema de los refugiados. Ese diagnóstico se traduce en este bosque, cada día, en más muertos.

Son muertos que se pueden contabilizar porque siempre quedan al descubierto, porque no hay tierra para enterrarlos. Tampoco hay fuerzas para hacerlo.

Cuando uno camina por el bosque Virunga se topa con las escenas más inesperadas.

Se pueden encontrar cadáveres descompuestos con la sangre seca pintándoles la ropa. Son cuerpos solos, abandonados, muchos de ellos con un balazo en la sien.

O se puede ver a una señora que murió mientras daba a luz, porque no tuvo la fuerza para parir. Un bulto en ella, lo que debió ser el recién nacido, muerto también. Y junto a ellos, otro pequeño, quizás otro hijo, recostado sobre la maleza y las rocas. Tampoco sobrevivió.

Los manchones de muerte en esta zona tienen una frontera muy clara: el hedor de cuerpo muerto. De carne descompuesta, tan penetrante como inconfundible.

"Tenemos una gran crisis humanitaria", insistió un alto funcionario del Programa de Naciones Unidas para el Desarrollo, la oficina encargada de administrar la ayuda internacional a esta zona de guerra, durante una plática en Nairobi. "Entre 500000 y 600000 quisieron regresar [a Ruanda] en el movimiento de repatriación más rápido en la historia. Pero hay otros miles de refugiados que no quieren regresar o siguen siendo rehenes."

Son las víctimas más directas de la guerra que se desarrolla en el este de Zaire, donde los rebeldes tutsis están combatiendo a sus enemigos históricos, la tribu hutu, y al ejército zaireño, cuyo régimen —el del presidente-mariscal Mobutu Sese Seko— quieren derrocar. Ha sido una guerra de seis años en las montañas de la zona Masisi, pero en los últimos dos meses llevaron los combates a las ciudades y los pueblos, provocando éxodo, masacres y una anarquía total.

En el proceso, cientos de miles de refugiados han tratado de escapar del juicio de las armas. Miles de ellos están en estas montañas, dispersos, moviéndose en pequeños grupos de 60 a 200 personas cada uno, escondiéndose de la muerte.

Esos pequeños grupos han sido vistos por las cámaras fotográficas de los aviones de reconocimiento estadounidenses y británicos, la mayor aproximación que han tenido con ellos los gobiernos y las organizaciones humanitarias que los quieren ayudar.

Pero ninguno de ellos sabe qué está pasando realmente en la diáspora de la muerte.

"No tenemos acceso", dijo un funcionario de Naciones Unidas en Kigali, Ruanda, quejándose de los rebeldes tutsis que, agregó, no los dejan llegar a los refugiados.

"No tenemos acceso", insistió un representante de una organización no gubernamental en Goma.

Las organizaciones internacionales esperan sobre la carretera, entre Goma y Sake, en la frontera con Ruanda, que bajen los refugiados a su encuentro. No van por ellos. Los esperan, pero no es tan sencillo.

"Tienen que vencer el trauma del terror", sostuvo una trabajadora de Naciones Unidas, entre descorazonada y expectante, mientras esperaban un día reciente a la orilla de la carretera.

Quienes corrieron hacia las montañas lo hicieron sin pertenencias. "Cuánto miedo habrán sentido que solo se llevaron agua", comentó un sacerdote francés.

Huyeron de las matanzas tutsis en su guerra contra los hutus. Pero también de las matanzas hutus porque a los refugiados que no quisieron tomar las armas con ellos, los ejecutaron.

Los refugiados abandonaron los 42 campamentos que instaló Naciones Unidas en el este de Zaire, cuando comenzó el éxodo por la guerra civil en Ruanda en 1994 y 1995, y que dejaron de ser morada segura en las ocho últimas semanas, cuando la insurrección tutsi los convirtió en zonas de combate.

Quedaron atrapados en una guerra de castas, de limpieza étnica, abandonados por todos a su suerte y destino. Llegar a esos pequeños grupos de refugiados, a sus improvisados campamentos en los montes Virunga, no es sencillo. No hay acceso en vehículos. Hay que caminar 20, 30 y hasta 40 kilómetros entre la maleza, sobre las rocas, en algunas áreas que se encuentran minadas —con explosivos que no están diseñados para matar, sino para destrozar las piernas—, en la incertidumbre de no saber en qué momento se encuentra uno con los rebeldes tutsis, con las milicias hutus, o con los soldados zaireños que se encuentran desperdigados, embarcados en su propia misión bélica.

Los caminos son escabrosos. A veces son angostas brechas. En ocasiones, tímidos senderos.

Los paisajes se ven a lo lejos planos y verdes, pero son sinuosos y atropellados. Son muchas las partes donde los niveles se encuentran tan empinados, que es difícil ver a una persona a más de 20 metros de distancia.

Si no se conoce el terreno, perderse no cuesta nada.

La caminata es ahogadora, extenuante, obliga a rebasar la resistencia física de cualquiera. Y el cansancio puede ser exterminador.

El cansancio nunca comienza con el sudor; no es anuncio ni premonición. El cansancio va avanzando poco a poco, de la cabeza al resto del cuerpo. Primero se pierde la concentración, luego la locomoción del cuerpo se vuelve torpe. Vienen entonces los tropiezos, y muchas veces las torceduras. El cuerpo se empieza a deshidratar y los labios a secar. Los pasos se empiezan a hacer más cortos, y se comienza uno a marear.

En las piernas se empieza a notar el cansancio, se comienza a arrastrar ligeramente los pies. Para entonces, los pulmones buscan más expansión y se ha dejado toda técnica de respiración.

Empieza uno a jalar el aire por la boca, pero ya no hay suficiente oxígeno para el cerebro.

El mareo es más constante, y si uno cierra los ojos pierde el equilibrio. Los párpados se bañan de rojo candente y la sensación de vértigo se acelera.

Siente uno que se cae, y cuando camina, ya perdió toda concentración en el andar. Se deja dirigir por el instinto.

Los pies ya se van arrastrando y ha dejado de importar con qué se choca. Las espinas de la maleza son piquetes lejanos, y uno ha perdido el control de sí mismo.

Ya solo importa llegar. ¿Adónde? ¿Cómo? La disquisición es superflua.

Las moscas dejan de ser una molestia cada vez que se paran sobre las caras. Las mentes están en otro lado. Idas del momento. Puestas en el extremo de salir con vida.

La sensación es experimentada por los refugiados todo el tiempo.

En un improvisado campamento de pequeñas tiendas armadas con palos y bambú en medio de ninguna parte, 60 refugiados miraban indiferentes a sus visitantes.

La falla de fuerzas se veía en mucho: en la forma como arrastraban los pies, en las costras que resaltaban lo dañado de las espinillas por tanto golpearse al caminar, en la corva al sentarse, en la falta de brillo en los ojos, en lo viscoso de la mirada, en la ausencia de sonrisa.

Ganan días a la vida comiendo tallos y raíces. No hay nada más que comer. Lo que alguna vez fue selva y les daba frutas, hoy es nostalgia.

La estampida de refugiados ha sido tan brutal en los dos últimos meses, que un edén de cuatro hectáreas dentro del bosque, donde descansaban los leones y los chimpancés volaban en sus lianas, quedó reducido a dos remedos de árboles, sin ramas ni hojas, y a decenas de nuevas brechas donde quienes huyeron por ahí machacaron y machacaron hasta marcar angostos caminos sobre las rocas de lava.

Todos quieren comida.

Reciben cuanto se les dé, Baltasar y Jacques, los dos guías zaireños hacia el campamento, les reparten leche en polvo, para los bebés, un poco de papa de azúcar. Incluso, hasta unos cigarrillos.

El agua la recogen en vasijas del rocío de la mañana, el que deja unas cuantas gotas sobre las plantas. La acumulan en algunos de los plásticos blancos y azules que les dio Naciones Unidas como techo en sus viejos campamentos, tantos días como puedan, sin importar qué más almacenen ahí con el agua.

Por las noches, enfrentan el frío. A más de 2000 metros de altura, el frío no es algo para despreciar. Entre las dos y las cuatro de la mañana, en la majestuosidad de la selva, su simple canto puede generar una sensación de terror.

Por las noches sopla un viento que se escucha con el alborotar de la maleza, y que se siente cuando empieza a recorrer el cuerpo.

Es helado. Terriblemente helado.

Entonces comienzan a suceder cosas que uno no podía imaginar que pudieran pasar con su cuerpo, pues el frío llega a provocar el efecto de movimiento corporal como cuando se reciben descargas eléctricas.

También se pierde el control locomotor. El cerebro ordena, pero el cuerpo, en pleno enloquecimiento, no obedece.

Una persona acostada puede brincar entera por el frío, la experiencia es única. ¿Cómo se puede levantar todo el peso del cuerpo casi al unísono por el frío?

Pero así sucede. Se cuela hacia dentro del cuerpo, baila entre los huesos. Las piernas no dejan de temblar. Los músculos se golpean con furia unos con otros.

Por momentos, uno piensa que no lo va a resistir, que sobrevendrá un ataque al corazón. Las trepidaciones van tan aceleradas, en carrera tan salvaje, son tan brutales, que no se explica cómo no hay tantos muertos por el frío de la noche como por el calor del día.

La sensación del frío provoca miedo. Urge que deje de soplar para tener un momento de tranquilidad, pero siempre está el terror con el primer roce entre la maleza; tanto, que a veces uno se sorprende de seguir vivo.

¿Cuántos han muerto en estos parajes? No es posible saberlo. No hay contabilidad posible y la cifra sube todo el tiempo.

Durante una reciente visita a un grupo de refugiados, se encontró una fosa clandestina con siete cuerpos. Todos ellos ejecutados. Todos ellos, con el tiro de gracia. Un poco más lejos, aparentemente ejecutado en el mismo momento, un cuerpo más.

"Lo mataron los tutsis", dijo un refugiado.

No es la única fosa clandestina.

En dos más, cercanas, había 15 personas ejecutadas en cada una. Se ven hombres sacrificados, pero también mujeres y niños. Sexo y edad no son salvoconductos en esta región. Los cuerpos han estado ahí posiblemente dos semanas. Apestan, y todos tienen enjambres de moscas. Pero no están descompuestos todavía.

Están secos, se quedaron sin agua.

Son víctimas de la limpieza racial de los tutsis. "Si uno es joven, si uno es un intelectual, si uno es profesionista, entonces es asesinado", explicó un sacerdote francés, de los pocos blancos que se han aventurado por las montañas del bosque Virunga.

La depuración étnica también tiene fases: primero se liquida a todo aquel con mayor capacidad para pensar. No es una técnica nueva, se ha usado en Indochina y en América Latina. Primero se liquida a los cuadros, después al resto de la población.

Pero no todos en este bosque están muriendo asesinados. Muchos más, también sin contabilidad posible, están falleciendo por agotamiento.

En el recorrido hacia los campamentos se pueden apreciar ancianos que han sido abandonados en el camino, muertos, tranquilamente acostados sobre la roca.

También se puede ver a ancianos que están en la antesala de su muerte, como durante un reciente viaje a uno de esos campamentos, donde apareció súbitamente un zaireño como de 80 años con zapatos de hule, uno de hombre y uno de mujer, que ya había perdido la dirección. Caminaba en círculos, o en un momento caminaba en un sentido, y otro en el inverso.

Ya nadie le hacía caso. El más débil muere primero.

Y uno puede seguir encontrando los sembradíos de cadáveres en el bosque Virunga. Es cuestión de caminar más horas, más profundo.

Los refugiados que no se han repartido en Ruanda siguen aquí apostando por su vida.

Algunos grupos han detenido su huida, y piensan que más de 40 kilómetros de los campamentos originales de Naciones Unidas, donde empezó la insurrección tutsi, es una distancia adecuada que los puede separar de ser asesinados mientras terminan de decidir qué hacer.

Los menos, grupos de 25 personas, siguen bajando todos los días en busca de la protección de Naciones Unidas.

Pero el drama continúa siendo el de decenas de miles aquí esparcidos que todavía no se juegan el desafío de regresar por tierra de nadie y buscar la garantía de vida de los organismos internacionales. Cientos de ellos, quizá miles, morirán antes de conseguirla.

"Los van a matar", lamentó con desesperación el sacerdote francés.

"Los tutsis ahora los están matando biológicamente. Pero va a llegar el momento en que otra vez regresen por ellos."

Ya lo están comenzando a hacer, en las formas más brutales. Algunos de los muertos en los senderos del terror son prueba de ello: con ellos usaron machetes, para ahorrarse las balas.

Este es un ejemplo que reúne esos detalles, con la descripción, con los datos duros, con las sensaciones que transmite.

Explicar lo indescifrable

Los análisis de noticias son una derivación de los géneros periodísticos tradicionales, y no es una técnica que se practique en México. El análisis de noticia es un ensayo sobre un tema central en el que se combinan elementos noticiosos con matices de opinión.

Incorpora información, antecedentes y citas textuales, pero a diferencia de la noticia, también provee interpretaciones que permiten a los lectores una mayor comprensión del tema tratado.

Esa es quizá su característica más relevante: a partir de la información, se da una interpretación contextualizada del acontecimiento. Aprovecha la coyuntura y viaja a la velocidad de la noticia, acompañándola y complementándola; su propósito no es suplirla sino servir como una provechosa herramienta para la comprensión.

Dispone de un cuerpo de entrada, que introduce al tema, un desarrollo y una conclusión. Pero a diferencia del ensayo académico, apunta información y decodifica el acontecimiento. Su tarea principal es reconstruir un evento, un acontecimiento, para que el lector pueda comprenderlo en toda su magnitud.[8]

La diferencia con el artículo de opinión es que no toma posiciones políticas ni asume inclinaciones ideológicas. El análisis de noticia no informa sobre un acontecimiento, ni hace revelaciones: lo explica a profundidad y distancia. Generalmente se escribe el mismo día en que suceden los eventos, y pretende dimensionar la información.

Véase, por ejemplo, el siguiente texto, publicado el 26 de julio de 2013 en el diario *24 Horas* y el portal ejecentral.com.mx:

Emboscada en Tierra Caliente

La operación militar que desplegaron Los Caballeros Templarios el martes pasado fue una afrenta al Estado mexicano al combatir por más de dieciocho horas a la Policía Federal, a la que atrapó en seis trampas en la zona de Tierra Caliente en Michoacán, y disparó a sus unidades con fusiles de asalto AK-47. La movilidad de las unidades de la Policía Federal impidió que registraran más muertos, lo que no esconde la gravedad del despliegue de un cártel de la droga que actuó con una estrategia de guerra de guerrillas.

Fueron "ataques planeados con anticipación, en los que participaron individuos con armas largas ocultos en los cerros, además del bloqueo de carreteras con autobuses y otras unidades", dijo en un comunicado el Consejo de Seguridad Nacional. Una lectura entre líneas del boletín revela la magnitud de la operación de la *narcoguerrilla*. Les tendieron emboscadas en seis puntos diferentes, una acción que sugiere que sabían por dónde iban a circular los convoyes federales al tener acceso a información de inteligencia. Asimismo bloquearon las carreteras para evitar que hubiera un pronto respaldo, lo que les dio el tiempo suficiente para atacarlos secuencialmente y sobre todo para replegarse, recuperar a sus muertos y ayudar a sus heridos.

El comunicado aporta elementos que no dan confianza en la operación gubernamental y sí arroja incertidumbre sobre qué pasa en las fuerzas civiles y militares federales, donde la coordinación que presumen demostró que ni es tan cierta ni es tan confiable. El primer elemento que rompe ese discurso es el papel que jugó el Ejército. Funcionarios dijeron que el operativo en Tierra Caliente lo hicieron policías federales y soldados, sin embargo, fuera de verse las imágenes del Ejército en las carreteras michoacanas, la pregunta es qué hicieron sus tropas y mandos en el campo de batalla.

Desde mayo el Ejército asumió el mando en Michoacán y envió fuerzas de intervención que incluyeron al Cuerpo de Fuerzas Especiales y las Fuerzas Especiales de la Marina, que son los cuerpos de élite de las Fuerzas Armadas, con el apoyo de aeronaves artilladas para reforzar a las operaciones en tierra, principalmente en Tierra Caliente. El martes, empero, no actuaron. Dejaron a la Policía Federal combatir sin respaldo, pese a que el Ejército tiene una guarnición militar en Lázaro Cárdenas, a 25 kilómetros —en línea recta— de la zona donde se dio una de las emboscadas.

A la falta de apoyo táctico, reflejada en la ausencia del registro de actividad militar en el boletín del Consejo de Seguridad Nacional difundido el martes, se añaden las preguntas sobre los protocolos de seguridad que siguió la Policía Federal, a la que el Ejército, de una manera aún no aclarada, envió por delante. Los convoyes de la Policía Federal, de acuerdo con la información disponible, no tuvieron apoyo táctico aéreo ni contaron con *el Rino*, su famoso vehículo antisecuestro, blindado y con una capacidad de ataque para disparar simultáneamente dieciséis personas desde escotillas especiales.

Tampoco se enviaron, según la poca información pública disponible, convoyes con gran número de unidades, como marcan los protocolos de la Policía Federal para inhibir emboscadas o tener la capacidad de fuego suficiente para repelerlas. La larga jornada de combates permite suponer que esa superioridad numérica y de fuerza no fue contundente sobre el campo de batalla, por lo cual sufrieron para repeler el ataque y no capturar a nadie. Se desconoce también si llevaron vehículos blindados, puesto que la semana pasada en esa zona emboscaron a dos de sus unidades que no tenían el blindaje.

La falta de apoyo militar, de acuerdo con fuentes policiales, generó tensión y molestia. Sin embargo, tampoco es nuevo. Desde hace varios años existe rivalidad entre los dos cuerpos, y una de las razones por las que se pusieron en práctica protocolos tan rigurosos fue por el principio de la desconfianza de que los "azules", como los llaman despectivamente los militares, no recibirían el respaldo de las Fuerzas Armadas. Los conflictos del pasado se trasladaron al presente. Pero la diferencia cualitativa es que en años anteriores fueron operaciones ofensivas las que realizaron los cuerpos de seguridad, y en esta ocasión se trató de una acción defensiva. Los Caballeros Templarios probaron las capacidades tácticas de las fuerzas federales, que tuvieron una victoria cuestionable en Tierra Caliente porque no vencieron a sus agresores, sino que la *narcoguerrilla* realizó un repliegue táctico en espera, probablemente, del siguiente ataque.

Notas

[1] Wolfe, Tom, *El nuevo periodismo*, Barcelona, Anagrama, 1973, p. 52.

[2] *Ibíd.*

[3] Fallaci, Oriana. *Entrevista con la historia*, Barcelona, Noguer, 1986, p. 32.

[4] Fuentes-Berain, Rossana. "Carlos Slim, más allá del mito", *El Financiero*, 22 de mayo de 1993, p. 6.

[5] Fernández, Claudia. "Emilio Azcárraga Milmo, 'El Tigre' de Televisa, dominó los negocios en 93", en *El Financiero,* 10 de enero de 1994, p. 22.

[6] Fuentes-Berain, *op. cit.*

[7] Para profundizar en el conocimiento y metodología de elaboración de la crónica, se puede consultar el libro *Manual de periodismo* de Vicente Leñero y Carlos Marín, México, Grijalbo, 1986, pp. 91-154.

[8] Bloom, Harold, *et al.*, *Deconstruction & Criticism*, Nueva York, Continuum Publishing Corporation, 1992.

III

Fuentes de información

Un aspecto del periodismo que se aborda sin la atención y el cuidado que merece, lo constituyen las fuentes de información. Ellas proveen la materia prima para el reportero y son la pieza fundamental de su quehacer diario.

Las fuentes de información no suelen llegar a nosotros fácilmente. Tenemos que salir a buscarlas y tras encontrarlas deben cultivarse, pulirse, respetarse y, sobre todo, protegerse.

Es muy importante establecer una relación seria y profesional con ellas, sin importar el peso específico que cada una tenga. En la búsqueda de las fuentes, primero, y en la forma como se desarrolla una relación profesional con ellas, después, está la diferencia entre periodistas. Quien logre tener las mejores fuentes de información (entendiéndose esto no como tener acceso a las más altas personalidades, sino disponer de la información más completa sobre un tema) hará un mejor trabajo, de mayor trascendencia y más creíble ante los lectores.

Selección

1. Hay que ser cuidadoso en la selección de las fuentes de información. No podemos engañar a nuestros jefes y lectores al proporcionales información cuyo origen no tiene representatividad ni autoridad profesional.

2. Cada información requiere de fuentes determinadas. No busquemos fuentes sabelotodo, práctica frecuente en el periodismo mexicano. Muchas veces se da este fenómeno en el sector político, donde un diputado o senador habla tanto de política exterior como de abasto o de elecciones. Debemos ser selectivos en cuanto a nuestras fuentes, elegir a las personas idóneas que puedan aportar información sobre la cual se indaga.

Relaciones fuentes-reportero

1. Debemos establecer, desde un principio, reglas claras con nuestras fuentes. Estas son muy simples: respeto, seriedad y profesionalismo por ambas partes.
2. Es importante respetar los acuerdos con las fuentes de información en términos de anonimato, si así lo solicitan. Nunca habrá nada más importante que la responsabilidad para con las fuentes de información.
3. Si una fuente nos indica que no podemos citarla, o que no podemos atribuirle nada en absoluto, debemos respetarla; si señala que la plática que sostuvo con nosotros no puede utilizarse, salvo como un marco contextual, así hay que hacerlo.
4. Cuando la fuente nos pida que no la identifiquemos, se recomienda acordar con ella la manera como vamos a referirla, siempre y cuando no se mienta en su identificación. Es decir, si la fuente es "industrial", no podemos decir que es "comercial".

De la atribución

1. En el periodismo suele atribuirse información a "analistas", "observadores" o "fuentes diplomáticas", lo cual es un recurso tan gastado que ha perdido verosimilitud. Nosotros tene-

202

mos el legítimo derecho de proteger la identidad de nuestras fuentes, así como nuestros jefes tienen derecho a conocerla pues solo de esa manera podrán evaluar adecuadamente el valor de la información, reducir los márgenes de error y mejorar la calidad del producto final.

2. Es importante saber quién es una "fuente diplomática", porque no es lo mismo un embajador que un ministro, ni un consejero político o un tercer secretario. En otros casos, cuando se citan "observadores", se suelen esconder juicios propios tras ese anonimato ambiguo. Ese recurso, cuando es mañosamente empleado, viola toda ética profesional, engaña a los lectores y muestra las limitaciones del periodista para conseguir la información.

3. No se usarán fuentes ambiguas. Es decir, no diremos "fuentes capitalinas", sino "fuentes del Gobierno del Distrito Federal".

4. Es deber del editor preguntar al reportero la identidad de su fuente, y de este informársela. El periodista se irá haciendo merecedor de la plena confianza del editor con el tiempo, en plazos que dependerán de su seriedad y profesionalismo.

Fuentes anónimas

1. Nunca deben citarse fuentes anónimas para reproducir juicios de valor. Todo juicio, calificativo o acusación, deberá llevar identificada su fuente.

2. Fuentes anónimas solo se emplearán cuando aporten información complementaria o la enriquezcan.

De la precisión

1. Toda información delicada deberá tener, además de la fuente original de la noticia, una fuente que la confirme. Si no se

tiene confirmación en un tema delicado, la regla general es que no se publique. En todo caso, deberá consultarse con su jefe inmediato, en quien recaerá la responsabilidad de publicar la nota o esperar a su confirmación.

2. No debe causar vergüenza regresar a una fuente de información para pedir se clarifique una cita o un dato del cual tengamos duda. La fuente agradecerá nuestra escrupulosidad.

3. No debemos entrecomillar frases que no son textuales.

Expresiones anglosajonas

1. En la jerga periodística mexicana se han comenzado a emplear palabras de origen anglosajón que refieren distintos acuerdos sobre la información proporcionada por algunas fuentes a los reporteros:

   a) *Off-the-record*: la traducción literal es "fuera de libreta" (sin registrar). Se usa cuando una fuente de información confía una información restringida y no autoriza que se publique, aun cuando no se le cite. En México se incurre en el error de pensar que cuando alguien señala que habla *off-the-record*, es simplemente para que no lo citen por su nombre.

   b) *Background:* se usa generalmente cuando la información es para publicarse pero se desea que no se atribuya a ninguna fuente específica. El periodista debe precisar con la fuente los límites de su identificación.

   c) *Deep background:* en México se confunde con el anterior; se usa para información que no puede ni atribuirse ni usarse directamente. Generalmente se emplea para análisis noticiosos o de contexto.

Código de ética

Uno de los problemas que afronta la prensa mexicana es su falta de credibilidad. Se desconfía de la veracidad de sus informaciones, de la precisión de sus datos, de la confiabilidad de sus citas. Este conjunto de factores, a veces de forma subjetiva, a veces con razón, contribuye en buena manera al desprestigio en que se encuentra la prensa como eficaz vehículo de expresión y formador de opinión pública, y a la falta de penetración más allá de las fronteras de la sociedad política. Un buen estudio de caso sobre cómo la tergiversación más simple, quizá la más inocente, puede conducir a crear una desinformación, se dio en noviembre de 1992 cuando el periódico *La Jornada* publicó una entrevista al presidente Carlos Salinas de Gortari.

La Jornada, como es su costumbre, publicó una sinopsis de la entrevista como cuerpo de presentación y prosiguió con el formato de pregunta-respuesta. El texto llamó mucho la atención, particularmente en el medio y la clase política, no por las respuestas del presidente, sino por la energía con que se le hicieron las preguntas; incluso hubo cartas a la sección de correspondencia del mismo periódico, elogiando la manera como se hizo el cuestionamiento.

Efectivamente, el estilo de las preguntas era diferente al que se acostumbra cada vez que se entrevista al presidente de México en turno: enérgicas, inquisidoras, insistentes; gran trabajo periodístico. Sin embargo, hubo un problema: al cotejar las preguntas publicadas con la transcripción de las preguntas originales, hay importantes diferencias. El fondo de las preguntas no se alteró en ninguna ocasión, pero al editarlas para su publicación se eliminaron los estribillos naturales, se refrasearon, se condensaron y por ende se descontextualizaron.

Los cambios de matices son muy importantes, y esa edición de las preguntas produjo no solo una imagen diferente en los lectores que estuvieron atentos a la entrevista, sino que también, de haberse hecho el cuestionario en la forma como se publicó, se hubieran obtenido, con toda seguridad, respuestas diferentes.

Para efectos de análisis, y que sean los lectores quienes se formen su propia opinión al respecto, aquí se reproducen algunas de las preguntas significativas donde el estilo con que se formularon originalmente no se respetó en la edición publicada.

	¿Cómo se formuló la pregunta?	¿Cómo se publicó la pregunta?
1	Oiga, señor presidente, hay reclamos porque se dice que mientras la política económica se ha elevado a rango supremo, todo lo demás, incluyendo la política-política, se ha supeditado a ella, a la política económica, que todo esto se ha dejado en segundo término; de ser así ¿a qué se ha debido esto, si es que es así?	Hay reclamos porque mientras la política económica se ha elevado a rango supremo, todo lo demás, incluyendo la política-política, se ha supeditado a ella, se ha dejado en segundo término.
2	Señor licenciado, pero de todas maneras a la gente le parece, o a un sector de la población le parecen insuficientes los avances. ¿Dónde localizaría usted, si es que hay resistencias, esos focos de resistencia?	Hay sectores de la población a los que sigue pareciéndoles insuficiente lo que se ha hecho en materia de reforma política.
3	Señor, es obvio que, bueno, nosotros sentimos que lo que está pasando con los partidos en el mundo, que hay esta falta de credibilidad, de	Esta crisis de los partidos, la falta de credibilidad del electorado en ellos, se ve reflejada de manera más brutal en la caída de los

¿Cómo se formuló la pregunta?	¿Cómo se publicó la pregunta?
cómo actúan y de cómo han actuado, se ve reflejado de una manera más brutal en la caída de los partidos históricos, que tenían, además, largo tiempo al frente del gobierno de esos países. A nosotros nos parece que eso que pasa allá, como la economía también, se refleja aquí socialmente con los partidos; nos parecería que hay una crisis general, también, de todos los partidos y que probablemente este gran partido histórico que es el PRI esté inmerso en una de sus más brutales crisis que ha tenido nunca.	partidos históricos, de los partidos de Estado que han tenido, además, largo tiempo al frente de los gobiernos de sus países. A nosotros nos parece que es el caso del PRI, que está inmerso en una de las más graves crisis que haya tenido nunca.
4 La preocupación sería si el PRI está en una crisis que nosotros no alcanzamos a verla todavía y a medir de qué tamaño es. Si esta crisis se ahonda, si no logra hacer las modificaciones, si no tiene un verdadero programa, ¿qué programa tendría el gobierno para enfrentar todo esto? Porque la crisis del PRI,	Si esta crisis se ahondara, si el PRI no lograra hacer las modificaciones que requiere, si no tiene un verdadero programa, ¿qué programa tiene el gobierno? Porque al final de cuentas la crisis del PRI, siendo partido de Estado, es la crisis también del sistema.

207

¿Cómo se formuló la pregunta?	¿Cómo se publicó la pregunta?
al final de cuentas, siendo partido de Estado es la crisis también del sistema.	
5 Señor presidente, en su último informe usted señala la necesidad de la transparencia en el uso de los recursos, en las relaciones con los medios. Y dice: "vamos a entrarle ahí", no dice cómo. La pregunta sería: ¿cómo? Pero hay otra cosa, otra de lo que usted señala, y es que antes de eso y después de estas afirmaciones de que mientras tanto vamos a hacer esto, hay una idea que yo siento en sus palabras, donde está hablando de "acuerdos" entre los partidos, de relaciones que permitan avanzar y no se dice cómo instrumentar eso. Me parecería que si no hay acuerdos fundamentales, todo esto que ha pasado seguirá pasando de una manera más arriba, más abajo, ¿cómo pensaría usted que se deberían dar esos acuerdos,	En su último informe usted señala la necesidad de transparencia en el uso de recursos, las relaciones con los medios, pero no dice cómo ni quién garantizaría esa transparencia. Habla de "acuerdos" entre los partidos, de relaciones que permitan avanzar, pero tampoco dice cómo instaurarlos.

¿Cómo se formuló la pregunta?	¿Cómo se publicó la pregunta?
cómo se va a llevar a cabo esa transparencia?	
6 Contra la tradición del "tapadismo", ¿deben los precandidatos a la presidencia externar sus aspiraciones, es decir, desaparecer el "tapadismo"?	Sobre la tradición del "tapadismo", ¿deben los precandidatos a la presidencia externar sus aspiraciones, en lugar de ocultarlas?
7 Oiga, licenciado, en materia de política exterior, en estos momentos, bueno, con este cam bio en Estados Unidos, que fue mucho muy importante, se dijo que va a incidir en, precisamente, la sucesión presiden cial en México e incluso en la selección del candidato priista. ¿Qué opina usted de eso?	Se dice que el cambio de gobierno en Estados Unidos va a incidir en la sucesión presidencial en México e incluso en la selección del candidato priista. ¿Qué puede decirnos de esto?
8 Pero las presiones existen, ¿no?	Insisto, licenciado: ¿existen o no las presiones de Estados Unidos?
9 A propósito del tan traído y llevado Tratado de Libre Comercio, hace unos días un economista norteamericano decía que México se encontraba en una infortunada	Señor presidente: hay una crítica recurrente a su gobierno por lo que se considera una excesiva vinculación, por medio del TLC, con Estados Unidos. Algunos economistas

¿Cómo se formuló la pregunta?	¿Cómo se publicó la pregunta?
posición por haberse ligado, a través del TLC, con el más "enfermizo —decía— de los centros metropolitanos", esto en referencia a la delicada situación económica de Estados Unidos, a la recesión. ¿Tendremos otra opción?	de ese país, como Doug Henwood, afirman que México se encuentra en una infortunada posición, ya que Estados Unidos es en la actualidad, y a causa de su delicada situación económica, el más "enfermizo" de los centros metropolitanos: ¿qué no teníamos otra opción que el TLC con el resto de los países de América del Norte?
10 Me decía que las exigencias de ellos con relación al tema ecológico…	Hay exigencias (presiones) de Estados Unidos con relación al tema ecológico, ¿no?
11 Pero de lo que se está hablando ahora en Estados Unidos, lo que hace la interpretación de las nuevas políticas económicas que van a desarrollar, el neokeynesianismo, etcétera, etcétera, dicen, nosotros le vamos, es decir, Estados Unidos le va a dar mayor prioridad a la énfasis, y señalan como tesis que no es tan importante el que se detenga la inflación y que haya más generación, por ejemplo, de empleos, y aquí	Estados Unidos parece decidido a regresar al keynesianismo, donde el Estado tendrá mayor intervención en el desarrollo y se pondrá mayor énfasis en lo social. No será tan importante detener la inflación como generar empleos, por ejemplo. La política desarrollada por su gobierno ha sido fundamentalmente la de abatir la inflación, lo cual se ha logrado considerablemente. Pero ¿no

¿Cómo se formuló la pregunta?	¿Cómo se publicó la pregunta?
la política desarrollada por su gobierno fundamentalmente es la de abatir la inflación y se ha abatido de forma considerable. Pero al mismo tiempo va surgiendo, ¿estamos entrando en un proceso de recesión o hay menos crecimiento, y pensaríamos si en estos ajustes no sería también importante un cambio en la política para que hubiera más determinación del Estado en la generación de empleos, otra vez motor del desarrollo y fundamentalmente con la tendencia a que haya menos desocupados?	sería conveniente que en la política económica del Estado se diera también un cambio en ese sentido, para que este volviera a ser motor del desarrollo, generador de empleos y hubiera menos desocupados?
12 Oiga, licenciado, hay una cosa que se pregunta mucho la gente. Y yo le voy a hacer una pregunta así de señora doméstica, de ama de casa: ¿por qué si tenemos tan buen superávit no se sueltan esos dineros para la generación de empleos y en cambio se conserva un muy buen superávit, podría hacerse uso de él?	¿Por qué si tenemos tan buen superávit no se sueltan esos dineros para la generación de empleos, por ejemplo?

	¿Cómo se formuló la pregunta?	¿Cómo se publicó la pregunta?
13	Licenciado, el cambio de gobierno en México ha coincidido con crisis económicas, con turbulencias financieras como les llaman. Esta sucesión, en el supuesto caso de que vinieran las crisis, ¿cómo se estaría preparando?	El final de los tres últimos sexenios en México han coincidido con crisis económicas o con turbulencias financieras. ¿Se están tomando algunas medidas para que en esta ocasión eso no suceda, o para que una crisis similar no coincida con el cambio de gobierno?
14	Oiga, licenciado, por último, el caso Cuba. No solo su reciente entrevista con Mas Canosa y Montaner, sino a pesar de que su gobierno ha sido muy claro y muy preciso en condenar la Ley Torricelli, en fin, todas estas cosas de leyes extraterritoriales de Estados Unidos, en fin, ¿no se ha avanzado mayormente en el caso de la relación con Cuba, de la integración diríamos de Cuba a América Latina, por ejemplo, por qué no está Cuba en el Pacto de San José, cuando le es tan necesario, indispensable el petróleo?	Por último, el caso de Cuba: a pesar de que su gobierno ha condenado la Ley Torricelli, la verdad es que no se ha avanzado mayormente en su integración a América Latina. Por ejemplo: ¿por qué no está Cuba en el Pacto de San José, cuando el petróleo le es tan indispensable?

¿Cómo se formuló la pregunta?	¿Cómo se publicó la pregunta?
15 ¿Eso querría decir que en el caso, por ejemplo, de que pertenezcamos a la Fundación, tendría para el gobierno mexicano una representación válida, legítima?	Extrañó a muchos la entrevista que usted concedió a Mas Canosa y Montaner, ¿por qué la concedió?

Principios generales

Para que el presente código de ética pueda aplicarse lo más ampliamente posible, es importante que tenga como pilares la integridad y el sentido común de aquellos a quienes va dirigido. Sería imposible responder en estas líneas a todas las preguntas y dudas que pueden surgir en la cotidianidad del ejercicio periodístico.

1. Debe evitarse no solo todo conflicto de interés, sino incluso todo aquello que lo pueda parecer. El conflicto de interés ocurre cuando el periodista participa voluntariamente en una actividad laboral cuyos fines no son eminentemente periodísticos, sino obtener beneficios personales.
2. El trabajo periodístico ha de realizarse sin deber favores ni tener temores, y los receptores de la información deben saberlo. El único compromiso del periodista es con la verdad.
3. Para que un código de ética funcione no es suficiente que los periodistas acepten ceñirse a sus reglas. Es más importante que los propietarios y directores de los medios se comprometan con una reglamentación interna de esta naturaleza, porque de ello depende su instrumentación real. Un código de ética periodística solo será efectivo si existen, primero, la

voluntad política para ejercerlo y, segundo, los recursos financieros necesarios para su aplicación funcional.

Reglas básicas

Regalos: ningún periodista debe aceptar regalos, descuentos o privilegios que se le ofrezcan por trabajar en una casa editorial. Todos los obsequios deberán devolverse a quien originalmente los ofreció o, en su defecto, enviarse a una organización de beneficencia pública.

Queda entendido que si un periodista no puede regresar un regalo, debe entregarlo a la administración de su medio, que procederá en cualquiera de las dos formas mencionadas.

Cuando se reciban regalos que no necesariamente vayan dirigidos a un individuo (como es el caso de calendarios, libros o plumas), podrán ser conservados por la persona o entregados a la administración para que se turnen a una organización de beneficencia pública. En tal caso, las donaciones irán acompañadas por una carta donde se expliquen las políticas del diario y la fuente original del regalo.

Comidas: los reporteros deben pagar sus propios alimentos. Cuando no sea posible hacerlo en el momento, deberán liquidar, lo antes posible, el importe a la persona u organización que lo haya pagado.

En aquellos casos donde se invita a un periodista a una casa, o en aquellos banquetes o sesiones que generan información —patrocinados por oficinas gubernamentales o compañías privadas—, será suficiente enviar una pequeña nota de agradecimiento por las atenciones.

Cuando se invite a tomar una taza de café, quedará al criterio del periodista aceptar la invitación o pagar su propia cuenta. No es el caso, sin embargo, de las bebidas alcohólicas, que invariablemente deberá cubrir quien las consuma.

En todos estos casos, previa presentación de la factura, el medio de comunicación deberá reembolsar el gasto realizado.

Viajes: debido a las peculiares características de las relaciones prensa-Estado en México, no es posible pagar todos los viajes que realicen los periodistas para cubrir actividades propias del oficio. Aquellos viajes no profesionales a los cuales se llega a invitar a miembros de alguna casa editorial entran en la categoría de "regalos".

De cualquier manera, los medios deben procurar, en la medida de lo posible, el pago de los viajes que realicen sus periodistas por cubrir una información. Cuando ello no sea factible, es necesario enviar una nota de agradecimiento a quien los financie.

El caso de la transportación terrestre —compartir un taxi o aceptar aventones—, queda sujeto al juicio de cada persona.

Entradas: ningún periodista debe aceptar boletos gratis para algún evento, salvo cuando equivalgan a acreditaciones de prensa para tener acceso a las zonas restringidas.

Cuando no existan acreditaciones de prensa y sea indispensable, en términos periodísticos, tener acceso a un evento, el medio deberá cubrir el importe del boleto.

Libros y discos: ninguno de estos productos deberá ser solicitado. Cuando lleguen a una redacción deberán entregarse a los críticos literarios o musicales para que escriban un texto, sin que estos se queden con ellos tras difundirse su trabajo.

Empleos y actividades fuera de la empresa: ningún periodista debe trabajar o realizar actividades fuera de la empresa en que labora cuando representen un conflicto de interés.

Este capítulo no supone, de ninguna manera, la limitación para, por ejemplo, votar por un determinado partido político. Pero trabajar para un candidato o en un partido sí supone un conflicto de interés, de la misma manera que realizar tareas de relaciones públicas o jefaturas o asesorías de prensa para algún individuo o firma en particular.

Colaboraciones externas: ningún periodista podrá escribir material, gratuito o remunerado, para un individuo u organización si tal trabajo entra en conflicto con los intereses de su medio.

Antes de realizar tareas para alguien más, aun si no presuponen un conflicto de interés, deberá consultarlo con su jefe inmediato superior.

Ningún periodista podrá escribir textos publicitarios o discursos para un funcionario, político, empresario, agencia de gobierno, empresas o instituciones privadas, equipos deportivos o artistas.

Ponencias y discursos: ningún periodista deberá aceptar compensación económica por dictar conferencias, pronunciar discursos o por aparecer en un programa de radio o televisión si el pago constituye un conflicto de interés o parece serlo.

Conflictos financieros: ningún periodista puede tener acciones en la Bolsa de Valores, ni intereses financieros que puedan ser influenciados por la forma como escribe o edita las informaciones. Puede estar involucrado en ese tipo de negocios siempre y cuando no representen ningún conflicto de interés, ni exista la apariencia del mismo.

Uso de "contactos": ningún periodista debe aprovechar en su vida privada, para beneficios particulares o para solicitar un tratamiento o consideración especial, los "contactos" que ha logrado profesionalmente.

Por dar un ejemplo común, no puede solicitar la ayuda de la Secretaría de Relaciones Exteriores para agilizar la expedición de un pasaporte, o de la oficina de prensa de la policía para obtener una licencia de conducir. Menos aún para servir como gestores ante dependencias, por ejemplo, para apurar la expedición de permisos de importación-exportación, trámites aduaneros o litigios judiciales.

En aquellos casos de extrema urgencia, como por ejemplo trámites para acelerar ingresos en instituciones médicas, hay que notificar lo que ocurre a su jefe inmediato superior.

Conclusión

Como todo código, este paquete de reglas siempre será perfectible. En la medida en que se desarrollen la sociedad, el entorno en el cual se muevan los periodistas y las propias circunstancias de los medios, podrán ir evolucionando los parámetros éticos.

También debe quedar claro que no todos los medios de comunicación tienen códigos de ética escritos. Sin embargo, en aquellos casos donde no existan estas reglas de manera transparente, los parámetros tanto de comportamiento moral como en lo que respecta a sus relaciones con las fuentes de información deberán motivar a cumplir con los ideales enunciados.

Epílogo

La revolución de los medios en los últimos 20 años nos ha llevado por senderos tan luminosos como oscuros. Sabemos dónde comenzó el camino y cuántos más convergieron en el cambio de paradigma en la relación de los medios con gobernantes y gobernados. Las viejas estructuras que se pintan de cuerpo entero en *La prensa de los jardines*[1] evolucionaron en los siguientes lustros para acercarse más al ideal de la esfera pública de Jürgen Habermas,[2] y se adentraron al futuro que es presente.

Las nuevas tecnologías democratizaron la información, la volvieron de acceso gratuito y universal, y generaron nuevos fenómenos y dinámicas entre gobernantes y gobernados donde los medios de comunicación, que antes eran sus intermediarios y reguladores, han buscado alcanzar el futuro y evitar el estancamiento que los lleve hacia la desaparición. La velocidad con la que circulan por las redes sociales informaciones, rumores, estados de ánimo, voyerismos o expresiones meramente existenciales, obligó a los gobernantes a enfrentar nuevos retos al explicar sus decisiones y administrar sus crisis en tiempo real. Los medios son uno más de los múltiples actores en las redes sociales, sin ser la fuerza dominante que alguna vez fueran ni los rectores de la información. En buena parte ello es por definición: las redes sociales no son medios de información, sino un medio de comunicación de la sociedad donde la verdad no es un atributo sino que comparte espacios con lo verosímil, lo falso, la propaganda y la ignorancia.

Las redes sociales no matarán a los medios, como la televisión no aniquiló a la radio ni internet a la televisión; lo que se modifica es el formato y los canales de distribución para ajustarse a los tiempos del consumidor de información y a sus necesidades logísticas. Amazon mató a las librerías, pero no a los libros. iTunes aniquiló a las tiendas que vendían música, pero no a la música. Netflix está eliminando a la televisión de paga y los dispositivos móviles a los periódicos, pero como en el caso de los libros y la música, prevalecen los contenidos. Cambiarán su forma, su diseño, su forma de distribución y la manera como un consumidor desee tener la información, personalizada y en el momento en que lo solicite, pero esa información deberá cumplir con los requisitos indispensables para que sea útil y genere conocimiento.

El buen periodismo —escribió Roxane Gay en Salon, una respetada publicación estadounidense que solo informa en plataforma digital— toma el tiempo que las redes sociales, al marchar a una velocidad impresionante, rara vez tienen. Los buenos periodistas necesitan verificar la información antes de difundirla. Necesitan ese tiempo porque, en el mejor de los mundos posibles, se supone que confiamos en que nos ofrecen información certera e imparcial.[3]

Este fenómeno que nos atrapa no es inédito; las audiencias del periodismo y sus contenidos siempre han sido moldeados por la tecnología.[4] La circulación de un periódico, por ejemplo en México, dependía del ánimo y la negociación con los sindicatos de voceadores,[5] o de los recursos que podían incorporar a sistemas de distribución propios. La radio cambió de AM a FM, y de ahí a digital, como también la televisión se transformó de analógica a digital. Las computadoras comenzaron a cambiar la forma de acceder a esos medios y más adelante medios alternativos empezaron a difundir sus propios contenidos a partir de los de otros, utilizando las mismas tecnologías al alcance de todos, pero entregándoles la información y la opinión en los formatos de sus segmentos y audiencias.

En los últimos años la información se convirtió en una materia prima renovable que satura el mercado extendido de la comunicación. Por lo mismo se volvió uno de los productos más baratos, y en muchos casos es gratuita. Este cambio metió en la crisis más profunda a los medios, sobre todo a quienes inyectaban fuertes recursos para hacer periodismo de calidad que, por conducto de las nuevas tecnologías, estaba al alcance de un clic en una computadora o en un dispositivo móvil. Los medios que piensan con mayor seriedad en el futuro exploraron durante la primera década del nuevo siglo fórmulas para ir acotando el consumo gratuito del periodismo de calidad que ejercen. Se encuentran en ese proceso en todo el mundo, y de manera muy incipiente en México, donde la gran mayoría no ha comenzado a modificar hacia los medios digitales el valor que tenía el papel o sus espacios electrónicos abiertos. Quienes no apuren el paso para reubicarse en la transformación que se vive, morirán. Quienes no aprovechen el momento y no se suban en la ola del mundo nuevo para los medios, serán solo parte de la vieja historia.

La crisis de los medios es al mismo tiempo su oportunidad. Al momento de terminar esta tercera edición, la nueva Ley de Telecomunicaciones se había promulgado.[6] Esta reforma creará dos órganos reguladores autónomos que tendrán facultades para limitar la participación que abarque más de 50% del mercado, buscando eliminar los monopolios en la industria, y se prevén dos nuevas cadenas de televisión nacional. Con esta reforma las empresas de telefonía podrán incluir televisión mientras que las televisoras podrán proveer telefonía en un mercado que comenzó a cambiar de la tecnología analógica a la digital.[7] No se requiere la visión de Da Vinci o las pesadillas de Nostradamus para ver que antes de que termine esta década habrá en México nuevos jugadores en telecomunicaciones, grandes, medianos y pequeños, que habrán establecido alianzas tácticas empresariales para marchar hacia los nuevos campos de batalla donde el texto, no las noticias y la opinión; el audio, no la radio, y el video, no la televisión, serán las palabras del futuro que ya está aquí. Todo se podrá concentrar en un móvil o en una tableta. Todo tendrá que estar disponible para que el consumidor pueda acceder en cualquier momento a lo que desee.

La industria de la información se ha fragmentado de manera creciente, y los consumidores de información se dividen en segmentos. La distribución de información, que antes se hacía lineal, se ha transformado porque los consumidores no tienen el tiempo en el cual cumplían esa función los medios convencionales, no poseen la energía para construir sus mundos a partir de lo que aporta la vieja prensa ni están a la caza arqueológica de la información. Por el contrario, cada vez más son interactivos y contribuyen a los contenidos mediante las posibilidades que ofrece la tecnología.[8] El ejemplo es tan claro como dramático al ver la forma en que se transformó el ciclo de la información:

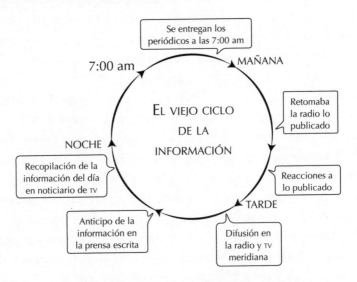

Es fácil apreciar que ese ciclo se ha transformado, y en ocasiones parecería que los medios convencionales no se han dado cuenta. Una información exclusiva en un periódico es historia para la mitad de la mañana; una entrevista en la radio por la mañana o al mediodía, se hizo vieja durante la tarde y la noche. Si a este ciclo que se refiere a la información formal se le añade la que circula por las redes sociales durante todo el día, todos los días, meses y años, es una obviedad señalar que la publicación de una entrevista que se difundió por radio o televisión el día anterior, ya no es noticia a la mañana siguiente. Ni siquiera un acontecimiento dura tanto tiempo sin modificarse. Por ejemplo, cuando el Pacto por México hizo crisis en la primavera de 2013 por una denuncia sobre uso de dinero público con fines electorales, la Presidencia de la República difundió un boletín a las tres de la mañana para informar la decisión que había tomado el presidente para preservar el acuerdo.[9] Un boletín de prensa en la madrugada era impensable que pudiera formar parte de una estrategia de gobierno hasta antes de que sucediera.

Pero el hecho mismo de que así ocurriera refleja el entendimiento de un gobierno sobre los nuevos ciclos de la información, que aunque parecen caóticos mantienen su estructura. Esa madrugada marcó un precedente histórico en esta nueva dinámica de los medios y los consumidores, pues no solo la prensa escrita quedó obsoleta en la mañana, sino también la radio y la televisión. Las redes, no los medios convencionales, fueron el vehículo para la comunicación en tiempo real que los medios convencionales no podían satisfacer. Solo aquellos que invierten en mantener sus portales en tiempo real durante las 24 horas del día pudieron estar —aunque con desventaja frente a Twitter, donde se difundió originalmente el anuncio— a la altura de las exigencias de los consumidores.

Para entender mejor la elasticidad con la que se ha revolucionado la comunicación y la información, habría que comparar la gráfica del viejo ciclo de los medios convencionales, rígido y finito, con el ciclo de los medios del siglo XXI.

NUEVO CICLO DE LA INFORMACIÓN[10]

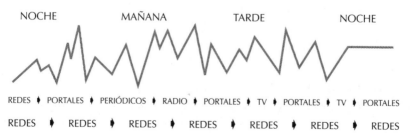

| NOCHE | MAÑANA | TARDE | NOCHE |

REDES ♦ PORTALES ♦ PERIÓDICOS ♦ RADIO ♦ PORTALES ♦ TV ♦ PORTALES ♦ TV ♦ PORTALES

REDES ♦ REDES ♦ REDES ♦ REDES ♦ REDES ♦ REDES ♦ REDES

La relación tradicional de los medios con los consumidores de información se ha deteriorado.[11] Existe una pérdida natural en la credibilidad de los medios convencionales y sus periodistas por el agotamiento de los consumidores de información con ellos y la irrupción de nuevos actores, como los *blogueros* independientes y las grandes cuentas arrobadas en Twitter, que desafían y en muchos casos se elevan por encima del *statu quo*. El contenido generado por los propios usuarios de las redes sociales supera al que realizan los medios convencionales, obligando a sus periodistas a incursionar de manera individual en esas nuevas plataformas de la revolución que se vive.

El ciclo de 24/7 que impuso el mundo digital a los medios y las exigencias crecientes de consumidores cada vez más fragmentados y segmentados en intereses, preocupaciones, frustraciones y ansiedades, tendrá que complementarse con los productos especializados y segmentados que les demanden los consumidores. Nadie podrá hacer todo solo: esa será otra de las realidades de este cambio paradigmático. Los nuevos conglomerados mexicanos tendrán estructuras verticales y horizontales que incorporen diversas plataformas mediante las cuales llegarán a los consumidores. Una vez más, como en el pasado, el formato y la distribución se moldearán ante las exigencias de los consumidores de información. Pero igualmente hoy, como antes, el tema que permitirá la sobrevivencia será el de los contenidos. En este futuro que ya es presente, el darwinismo periodístico será una realidad. Habrá aquellos que se marginen y gradualmente desaparezcan, pero también habrá quienes apuesten por lo que, se puede argumentar, será lo que adquiera un nuevo valor, hoy inexistente: el periodismo de calidad.

Este tipo de periodismo será el que pueda producir contenidos únicos, aquellos que no estén disponibles en el universo de la información gratuita, los que podrán servir de ancla para los medios que inviertan en ellos mediante presupuestos para realizarlos y periodistas para concretarlos. Será, en el corto, mediano o largo plazo, un renacimiento del periodismo en México. Pero no para todos, sino para quienes mejor se preparen para esa nueva realidad. Los contenidos únicos, producto del periodismo de calidad, tendrán que ser producidos por profesionales que aporten esa calidad.

Alcanzarla es difícil porque requiere de las herramientas del periodismo básico que durante dos décadas se dilapidaron en la transformación del periodismo mexicano hacia el fenómeno del *star system*, donde algunos de los y las periodistas mejor preparados decidieron cambiar la densidad y seriedad de su trabajo por la popularidad. Las mejores mentes dejaron de producir análisis reveladores y de escribir libros que explicaran lo que habíamos vivido, por la rentabilidad de un artículo periodístico a la semana y participar como crítico en programas de radio y televisión. Interlocutores del poder pasaron a ser locutores del poder en el frenesí de la segunda "borrachera democrática",[12] pero ya no solo de los periodistas que arrastran a los medios como en los noventa, sino de la sociedad entera.

La frivolidad perjudicó al periodismo en las dos últimas décadas al vaciarlo de calidad. Cualquiera con acceso a un micrófono pudo convertirse en "periodista" y celebridad. Esto no desaparecerá, pero ante la competencia que viene y la necesidad de contenidos únicos, será relegado. De quienes mejor preparados estén, con la depuración de su técnica y el rigor de la ética, con la curiosidad permanente y la humildad para seguir aprendiendo, será el mundo del futuro. Este libro no pretende abrirle a nadie esa puerta, sería absurdo pensarlo e inclusive proponérselo. El objetivo es contribuir, con una pequeña aportación, a que se refuercen esas herramientas que serán indispensables para lo que viene, a fin de que se complementen con la incursión y el dominio de otras disciplinas que se requerirán para decodificar una sociedad cada vez más compleja de entender y complicada para explicar. Nada de esto existía o se necesitaba cuando se escribió la segunda edición de este manual. Lo que sobrevive y perdurará, tendrá que acompañar al periodismo en un mundo digital, multimedia, capaz de realizar varias tareas profesionales simultáneamente, cada vez más rápido y más eficiente. Este es un nuevo momento para hacer a todos el llamado de regresar a lo básico. Para el periodismo, y para la vida.

Notas

[1] Riva Palacio, Raymundo, *La prensa de los jardines. Fortalezas y debilidades de los medios en México*, México, Plaza & Janés, 2004.

[2] Habermas, Jürgen, *Historia y crítica de la opinión pública*, Barcelona, Gustavo Gili, 1981.

[3] Gay, Roxane, "Cuando Twitter hace lo que el periodismo no puede", en *Salon*, 26 de junio de 2013.

[4] Véase Bingham, Molly, "The Future of Journalism in an Interdependent World", en *Nieman Reports*, Universidad de Harvard.

[5] Aguilar, Gabriela, y Terrazas, Ana Cecilia, *La prensa en la calle. Los voceadores y la distribución de periódicos y revistas en México*, México, Grijalbo-UIA, 1996.

[6] El presidente Enrique Peña Nieto promulgó la Reforma Constitucional en Materia de Telecomunicaciones, Radiodifusión y Competencia Económica el 10 de junio de 2013.

[7] La modernización tecnológica en la televisión, llamada "apagón analógico", comenzó en 2013 en el norte del país, y de acuerdo con la calendarización, terminará su reconversión en 2015.

[8] Unilever, ESPN, Mediashare y The Futures Company, "Media 2015: The Future of Media", 2013, p. 8.

[9] "Para abrir un espacio al diálogo, se suspenden las actividades públicas del Pacto por México", portal de la Presidencia de la República, 23 de abril de 2013.

[10] La fiebre ilustrada en la gráfica no tiene valores asignados, su propósito es meramente didáctico.

[11] Unilever, *et al.*, *op. cit.*, p. 5.

[12] Véase la nota 11 de la Introducción.

Bibliografía

Aguilar, Gabriela, y Terrazas, Ana Cecilia, *La prensa en la calle. Los voceadores y la distribución de periódicos y revistas en México*, México, Grijalbo-UIA, 1996.

Bailey, Charles W., "Journalism Ethics: What's Gone Wrong?", en *Nieman Reports* Núm. 44, Universidad de Harvard, verano de 1990.

Bingham, Molly, "Cuando Twitter hace lo que el periodismo no puede", en *Nieman Reports*, Universidad de Harvard.

Bloom, Harold, *et al.*, *Deconstruction & Criticism*, Nueva York, Continuum Publishing Corporation, 1992.

Blundell, William E., *Storytelling Step by Step*, Dow Jones & Company, 1986.

Bolch, Judith, y Miller, Kay, *Investigative and In-Depth Reporting*, Nueva York, Hastings House, 1978.

Bollinger, Lee C., *Images of a Free Press*, Chicago, The University of Chicago Press, 1991.

Buendía, Manuel, *Ejercicio periodístico*, México, Océano / Fundación Manuel Buendía, 1985.

Buendía Hegewisch, José, y Azpiroz Bravo, José Manuel, *Medios de comunicación y la reforma electoral 2007-2008. Un balance preliminar*, México, Tribunal Electoral del Poder Judicial de la Federación, 2011.

Cappon, Rene J., *The Associated Press Guide to News Writing*, edición revisada, Prentice-Hall, 1991.

Cebrián, Juan Luis, *La prensa y la calle*, Madrid, Nuestra Cultura, 1980.

Charnley, Mitchell V., *Reporting*, Nueva York, Holt, Rinehart and Winston, 1966.

Código de Ética de la Sociedad de Periodistas Profesionales de Estados Unidos, Sigma Delta Chi, 1973.

Colburn, John H., "Understanding the Role of the Press", *Nieman Reports*, Universidad de Harvard, septiembre de 1971.

Fallaci, Oriana, *Entrevista con la historia*, Barcelona, Noguer, 1986.

Habermas, Jürgen, *Historia y crítica de la opinión pública*, Barcelona, Gustavo Gili, 1981.

Hulteng, John L., *The Messenger's Motives: Ethical Problems of the News Media*, segunda edición, Nueva York, Prentice-Hall, 1985.

Juárez Gámiz, Julio, "Las elecciones presidenciales de 2006, a través de los *spots* de campaña", *Espiral, Estudios sobre Estado y Sociedad*, vol. XIV, Núm. 40, septiembre-diciembre, 2007.

Ibarrola, Javier, *El reportaje*, México, Gernika, 1994.

Keane, John, "Democracy and the Media", en *International Social Science Journal* Núm. 43, agosto de 1991.

Klaidman, Stephen, y Beauchamp, Tom L., *The Virtuous Journalist*, Nueva York, Oxford University Press, 1987.

Nieman, Universidad de Harvard, enero de 1992.

Leñero, Vicente, y Marín, Carlos, *Manual de periodismo*, México, Grijalbo, 1986.

Libro de estilo, edición revisada, Madrid, Ediciones El País, 1990.

Lippmann, Walter, *Public Opinion*, Nueva York, Free Press, 1965.

Malcolm, Janet, *El periodista y el asesino*, Barcelona, Gedisa, 2004.

Martín Vivaldi, Gonzalo, *Géneros periodísticos*, Madrid, Paraninfo, 1973.

Martínez Albertos, José Luis, *Redacción periodística: los estilos y los géneros en la prensa escrita*, Barcelona, A. T. E., 1974.

Minc, Alain, *La borrachera democrática: El nuevo poder de la opinión pública*, Madrid, Temas de Hoy, 1995.

Press Complaints Comissions, reporte Núm. 23, enero-febrero de 1994.

Privacy and Media Intrusion. The Government's Response, Departamento de Herencia Nacional, Gobierno de la Gran Bretaña, julio de 1995.

Riva Palacio, Raymundo, "De cara al futuro", *Revista Mexicana de Comunicación*, México, agosto de 1990.

——, *La prensa de los jardines. Fortalezas y debilidades de los medios en México*, México, Plaza & Janés, 2004.

Rivers, William L., *Writing: Craft and Art*, Englewood Cliffs, Nueva Jersey, Prentice-Hall, 1975.

Ross, Lillian, *Reporting*, Nueva York, Simon and Schuster, 1964.

Rubin, Bernard (ed.), *Questioning Media Ethics*, Praeger Publishers, 1978.

Scherer, Julio, *Historias de familia*, México, Grijalbo, 1989.

Servan-Schreiber, Jean-Louis, *El poder de informar*, Barcelona, Dopesa, 1973.

Shaw, David, en *Responsibility and Freedom in the Press: Are They in Conflict? The Report of the Citizen's Choice*, National Commission on Free and Responsible Media, 1985.

Siebert, Fred S.; Peterson, Theodore; y Schramm, Wilbur, *Four Theories of the Press*, Chicago, University of Illinois Press, 1963.

Sowell, Thomas, "Una visión mundial de la diversidad cultural", en *Society*, Universidad Estatal de Rutgers, noviembre-diciembre de 1991.

Thomson, James C., "Journalistic ethics: some probings by a media keeper", en *Questioning Media Ethics*, Praeger Publishers, 1978.

Trejo Delarbre, Raúl, "Periódicos: ¿Quién tira la primera cifra?", en *Cuadernos de Nexos*, México, junio de 1990.

Unilever, ESPN, Mediashare y The Futures Company, "Media 2015: The Future of Media", 2013.

Willis, Jim, *Journalism: State of the Art*, Praeger Publishers, 1990.

Wolfe, Tom, *El nuevo periodismo*, Barcelona, Anagrama, 1988.

Manual para un nuevo periodismo,
de Raymundo Riva Palacio
se terminó de imprimir en noviembre de 2013
en Quad/Graphics Querétaro, S. A. de C. V.,
Fracc. Agro Industrial La Cruz El Marqués
Querétaro, México.